7년 연속  **전체 수석**  **합격자 배출**

박문각

박문각 감정평가사

본 교재를 통해 공부하는 수험생들의 감정평가사 시험 최종 합격을 진심으로 기원합니다.

감정평가실무 과목에 있어 기본이론을 통해 습득한 이론을 연습해보는 것은 선택이 아닌 필수다. 감정평가실무는 많은 수험생들이 가장 어렵게 생각하는 과목이다. 이는 감정평가실무의 학습 분량이 방대하고, 설령 기본적인 이론을 잘 학습하였다 할지라도 그 내용을 문제풀이에서 모두 발휘하기가 어려워서일 것이다. 저자는 십 년간 강의를 하면서 감정평가사를 준비하는 수험생들에게 감정평가실무 과목을 가장 흥미롭게 공부할 수 있는 방법이 무엇인지를 고민하여 왔다. 본 교재는 이러한 고민에서 출간된 것이라 할 수 있다.

S+감정평가실무연습 기본문제는 기본이론을 학습한 수험생이 시중의 다양한 난이도의 문제집을 접하기 전에 가장 먼저 접하기에 최적화하여 구성하였다. 또한 기본강의만 수강하고도 문제를 접하는 데 있어 전혀 어려움이 없는 난이도로 구성하여 문제풀이에 대한 부담감을 줄였다. 한편, 감정평가에서 실무적으로 가장 많이 사용하는 평가기법을 중심으로 문제를 출제하였으며, 실제 부동산을 목적물로 하여 수험생들로 하여금 현장감을 높일 수 있도록 문제를 구성하였다.

저자는 수험생들이 본 교재의 문제를 쉽게 풀 수 있는 실력이면 기본적인 감정평가의 실력은 갖추었다고 생각한다. 이후에는 감정평가실무와 관련된 세부적인 이슈들이 문제에서 어떻게 적용되는지를 연습하면 될 것이다. 이런 절차에 대한 부분은 S+감정평가실무연습 종합문제를 통하여 충분히 연습할 수 있을 것으로 본다.

감정평가사 2차 시험이 논술식 시험이고 특히 실무과목은 복잡한 계산과정을 포함하고 있기 때문에 아무리 지식이 많다고 하더라도 시험장에서 그 지식을 효율적으로 서술하지 못하면 고득점을 받기 어렵다. 특히 감정평가실무는 예상치 못한 문제들로 그동안 수험생들을 많이 괴롭혀 왔다. 다양한 문제를 통해 습득한 기본이론을 충분히 연습하는 것만이 안정적인 점수 확보의 지름길이라 할 수 있다.

아무쪼록 본 교재가 수험생들의 실무능력을 향상시키고 실무과목에 흥미를 느끼게 하기를 바란다.

수험과정 중 다양한 질문이 생길 것이다. 본 교재의 표지에 있는 웹사이트를 통해 저자는 수험생들과 항상 같이 호흡하고 있다. 웹사이트를 적절하게 활용하여 시행착오를 최소화하기를 바란다.

다시 한번 수험생들의 감정평가사 시험 최종 합격을 기원한다.

연구실에서

감정평가사 유도은

감정평가사란?

감정평가란 토지 등의 경제적 가치를 판정하여 그 결과를 가액으로 표시하는 것을 말한다. 감정평가사(Certified Appraiser)는 부동산·동산을 포함하여 토지, 건물 등의 유무형의 재산에 대한 경제적 가치를 판정하여 그 결과를 가액으로 표시하는 전문직업인으로 국토교통부에서 주관, 산업인력관리공단에서 시행하는 감정평가사시험에 합격한 사람으로 일정기간의 수습과정을 거친 후 공인되는 직업이다.

시험과목 및 시험시간

가. 시험과목(감정평가 및 감정평가사에 관한 법률 시행령 제9조)

시험구분	시험과목
제1차 시험	❶ 「민법」 중 총칙, 물권에 관한 규정 ❷ 경제학원론 ❸ 부동산학원론 ❹ 감정평가관계법규(「국토의 계획 및 이용에 관한 법률」, 「건축법」, 「공간정보의 구축 및 관리 등에 관한 법률」 중 지적에 관한 규정, 「국유재산법」, 「도시 및 주거환경정비법」, 「부동산등기법」, 「감정평가 및 감정평가사에 관한 법률」, 「부동산 가격공시에 관한 법률」 및 「동산 · 채권 등의 담보에 관한 법률」) ❺ 회계학 ❻ 영어(영어시험성적 제출로 대체)
제2차 시험	❶ 감정평가실무 ❷ 감정평가이론 ❸ 감정평가 및 보상법규(「감정평가 및 감정평가사에 관한 법률」, 「공익사업을 위한 토지 등의 취득 및 보상에 관한 법률」, 「부동산 가격공시에 관한 법률」)

나. 과목별 시험시간

시험구분	교시	시험과목	입실완료	시험시간	시험방법
제1차 시험	1교시	❶ 민법(총칙, 물권) ❷ 경제학원론 ❸ 부동산학원론	09:00	09:30~11:30(120분)	객관식 5지 택일형
	2교시	❹ 감정평가관계법규 ❺ 회계학	11:50	12:00~13:20(80분)	
제2차 시험	1교시	❶ 감정평가실무	09:00	09:30~11:10(100분)	과목별 4문항 (주관식)
	중식시간 11:10 ~ 12:10(60분)				
	2교시	❷ 감정평가이론	12:10	12:30~14:10(100분)	
	휴식시간 14:10 ~ 14:30(20분)				
	3교시	❸ 감정평가 및 보상법규	14:30	14:40~16:20(100분)	

※ 시험과 관련하여 법률·회계처리기준 등을 적용하여 정답을 구하여야 하는 문제는 시험시행일 현재 시행 중인 법률·회계처리기준 등을 적용하여 그 정답을 구하여야 함

※ 회계학 과목의 경우 한국채택국제회계기준(K-IFRS)만 적용하여 출제

다. 출제영역 : 큐넷 감정평가사 홈페이지(www.Q-net.or.kr/site/value) 자료실 게재

응시자격 및 결격사유

가. 응시자격 : 없음

※ 단, 최종 합격자 발표일 기준, 감정평가 및 감정평가사에 관한 법률 제12조의 결격사유에 해당하는 사람 또는 같은 법 제16조 제1항에 따른 처분을 받은 날부터 5년이 지나지 아니한 사람은 시험에 응시할 수 없음

나. 결격사유(감정평가 및 감정평가사에 관한 법률 제12조, 2023.5.9. 시행)

다음 각 호의 어느 하나에 해당하는 사람

1. 파산선고를 받은 사람으로서 복권되지 아니한 사람
2. 금고 이상의 실형을 선고받고 그 집행이 종료(집행이 종료된 것으로 보는 경우를 포함한다)되거나 그 집행이 면제된 날부터 3년이 지나지 아니한 사람
3. 금고 이상의 형의 집행유예를 받고 그 유예기간이 만료된 날부터 1년이 지나지 아니한 사람
4. 금고 이상의 형의 선고유예를 받고 그 선고유예기간 중에 있는 사람
5. 제13조에 따라 감정평가사 자격이 취소된 후 3년이 지나지 아니한 사람. 다만, 제6호에 해당하는 사람은 제외한다.
6. 제39조 제1항 제11호 및 제12호에 따라 자격이 취소된 후 5년이 지나지 아니한 사람

합격자 결정

가. 합격자 결정(감정평가 및 감정평가사에 관한 법률 시행령 제10조)

- 제1차 시험

  영어 과목을 제외한 나머지 시험과목에서 과목당 100점을 만점으로 하여 모든 과목 40점 이상이고, 전 과목 평균 60점 이상인 사람

- 제2차 시험

  - 과목당 100점을 만점으로 하여 모든 과목 40점 이상, 전 과목 평균 60점 이상을 득점한 사람
  - 최소합격인원에 미달하는 경우 최소합격인원의 범위에서 모든 과목 40점 이상을 득점한 사람 중에서 전 과목 평균점수가 높은 순으로 합격자를 결정

  ※ 동점자로 인하여 최소합격인원을 초과하는 경우에는 동점자 모두를 합격자로 결정. 이 경우 동점자의 점수는 소수점 이하 둘째 자리까지만 계산하며, 반올림은 하지 아니함

나. 제2차 시험 최소합격인원 결정(감정평가 및 감정평가사에 관한 법률 시행령 제10조)

제1차 시험 면제

가. 2023년도 제34회 감정평가사 제1차 시험 합격자(2024년도 시험에 한함, 별도의 서류 제출 없이 인터넷 원서접수, 제1차 시험 '재응시자'로 선택하여 접수)

나. 감정평가 및 감정평가사에 관한 법률 시행령 제14조에서 정한 다음 기관에서 2024.03.01. 기준 5년 이상 감정평가와 관련된 업무에 종사한 사람(해당자는 제2차 시험 접수기간에 접수)

※ 제출 서류에 다음 법정기관, 면제대상 기관, 면제대상 업무가 모두 명확히 명시된 경력에 한하여 인정 가능 (예 국세청 재산세과에서 실제 기준시가 조사·결정 업무를 수행하였으나 제출한 서류상 확인 불가한 경우 인정 불가)

1. 감정평가법인
2. 감정평가사사무소
3. 한국감정평가사협회
4. 한국부동산원법에 따른 한국부동산원
5. 국유재산 관리 기관
6. 감정평가업무 지도·감독 기관
7. 개별공시지가, 개별주택가격, 공동주택가격 결정·공시업무를 수행 또는 지도·감독 기관
8. 토지가격비준표, 주택가격비준표 및 비주거용 부동산가격비준표 작성업무 수행 기관
9. 과세시가표준액 조사·결정업무 수행 또는 지도·감독 기관

공인어학성적

가. 제1차 시험 영어 과목은 영어시험성적으로 대체

- 기준점수(감정평가 및 감정평가사에 관한 법률 시행령 별표 2)

시험명	토플		토익	텝스	지텔프	플렉스	토셀	아이엘츠
	PBT	IBT						
일반응시자	530	71	700	340	65 (level-2)	625	640 (Advanced)	4.5 (Overall Band Score)
청각장애인	352	-	350	204	43 (level-2)	375	145 (Advanced)	-

- 제1차 시험 응시원서 접수마감일부터 역산하여 2년이 되는 날 이후에 실시된 시험으로, 제1차 시험 원서 접수 마감일까지 성적발표 및 성적표가 교부된 경우에 한해 인정함
- 이하 생략(공고문 참조)

제34회 감정평가사 제2차 시험 합격자 통계

1. 시행현황

(단위: 명, %, 점)

구분	대상	응시	결시	응시율	합격	합격률	합격선
감정평가사 제2차	2,655	2,377	278	89.53	204	8.58	50.00

※ 2022년도 제33회 감정평가사 2차 : 대상 2,227명/응시 1,803명/합격 202명(11.20%)

2. 과목별 채점결과

(단위: 명, 점, %)

과목	응시자수	평균점수	최고점수	과락자	과락률
감정평가실무	2,337	28.82	60.50	1,861	78.29
감정평가이론	2,179	34.34	63.50	1,277	58.60
감정평가및보상법규	2,130	36.45	75.00	994	46.67

※ 합격자 평균 52.29점, 총 평균 30.98점

3. 최근 5년간 응시유형별 합격 현황

(단위: 명, %)

연도(회차)	2019(30회)	2020(31회)	2021(32회)	2022(33회)	2023(34회)
계(합격률)	181(15.03)	184(16.37)	203(13.25)	202(11.20)	204(8.58)
일반응시자	62	46	80	51	88
전년도 1차 합격자	116	128	116	143	113
경력에 의한 1차 면제자	3	10	7	8	3

4. 합격자 연령별 현황

(단위: 명 / 만 나이 기준)

합계	20대	30대	40대	50대	60대 이상
204	118	71	14	1	0

5. 합격자 성별 현황

(단위: 명, %)

합계	남성	여성	여성 합격자 비율
204	125	79	38.73

6. 기타 현황

최고득점	최고령	최연소
59.50점	1973년생	2002년생

CONTENTS
이 책의 차례

PREFACE GUIDE

PART 01 문제편

PART 02 예시답안편

PART 03 부록편

별책부록

PART

02

예시답안편

PART 02

예시답안편

ANSWER 01 20점

Ⅰ. 평가개요

본건은 토지에 대한 시가참조용 감정평가로서 2025년 9월 7일(가격조사완료일)을 기준시점으로 감정평가한다.

Ⅱ. 토지의 감정평가액(공시지가기준법)

1. 비교표준지 선정

준주거지역, 상업용으로서 노선상업지대로서 주변환경이 유사한 표준지 2를 선정한다.
(#1 : 주변환경, #3 : 용도지역)

2. 시점수정치(2025.1.1. ~ 9.7. 주거)

$1.01011 \times (1 + 0.00216 \times 38/31) \fallingdotseq 1.01278$

3. 지역요인비교치 : 인근지역으로서 대등함. 1.000

4. 개별요인비교치

1.00(가로) × 1.05(접근) × 1.00(환경) × 1.05(획지*) × 1.00(행정) × 1.00(기타) ≒ 1.103

*형상(가장/정방), 지세(대등), 각지(대등)

5. 그 밖의 요인보정

(1) 평가선례의 선정

준주거지역, 상업용으로서 노선상업지대로서 주변환경이 유사하며, 최근에 평가되어 유사한 평가선례 라를 선택한다(배제사유 가 : 시점, 나 : 주변환경, 다 : 용도지역).

(2) 격차율 산정(비교표준지 기준)

$$\frac{6,410,000 \times 1.00384^{*} \times 1.00 \times 0.945^{**}}{5,200,000 \times 1.01278} \fallingdotseq 1.154$$

*시점 2025.7.15. ~ 9.7. 주거

(1 + 0.00216 × 17/31) × (1 + 0.00216 × 38/31)

**개별요인(비교표준지/평가선례)

1.00(가로) × 1.00(접근) × 1.05(환경) × 0.90(획지***) × 1.00(행정) × 1.00(기타)

***획지 : 형상(정방/가장, 5% 열세), 각지(5% 열세), 지세(대등)

(3) 그 밖의 요인비교치 결정

상기의 격차율을 참작하여 그 밖의 비교요인치로서 15% 증액보정한다(1.15).

6. 토지의 평가액 결정

5,200,000 × 1.01278 × 1.00 × 1.103 × 1.15 ≒ 6,680,000원/㎡

(× 800 = 5,344,000,000원)

Ⅰ. 평가개요

본건은 토지에 대한 시가참조목적 감정평가로 기준시점은 2025년 7월 10일이다.

Ⅱ. 비교표준지 선정

준공업지역, 주상용으로 본건과 유사한 표준지 A를 선정한다.

Ⅲ. 시점수정치(2025.01.01.~2025.07.10. 공업지역)

$$1.03339 \times (1 + 0.00323 \times \frac{40}{31}) ≒ 1.03770$$

Ⅳ. 지역요인 비교치

인근지역으로 대등함(1.000)

Ⅴ. 개별요인 비교치

본건은 소로각지, 세장형이다.

95/90 × 105/100 × 97/92 ≒ 1.169

Ⅵ. 그 밖의 요인 비교치

1. 평가선례의 선정 : 준공업, 주상용으로서 평가선례 나를 선정한다.

2. 격차율 산정

$$\frac{11{,}000{,}000 \times 1.04085 \times 1.000 \times 0.927}{6{,}950{,}000 \times 1.03770} ≒ 1.471$$

*2024.12.10.~ 2025.07.10.(공업)

(1 + 0.00428 × 22/31) × 1.03339 × (1 + 0.00323 × 40/31)

**개별요인(표준지 A/평가선례 나) : 90/95 × 100/100 × 92/94

3. 결정 : 상기 격차율을 고려하여 1.47로 결정한다.

Ⅶ. 토지의 감정평가액

6,950,000 × 1.03770 × 1.000 × 1.169 × 1.47 ≒ 12,400,000원/㎡

(×193.1 = 2,394,440,000원)

Ⅰ. 평가개요

본건은 A시 B동에 소재하는 나대지에 대한 일반거래목적의 감정평가로서 2025년 8월 1일을 기준시점으로 감정평가함.

Ⅱ. 공시지가기준법

1. 비교표준지 선정

일반상업지역, 상업용으로서 본건과 유사한 표준지 2를 선정함.

2. 시점수정치(2025.1.1.~2025.8.1.)

$1.01245 \times 1.00897 \times 1.00254 \times 1.00030 \times 1.00580 \times 1.00880 \times (1 + 0.00880 \times \frac{32}{30}) \fallingdotseq 1.04920$

3. 지역요인 비교치

인근지역으로서 대등함. 1.000

4. 개별요인 비교치

$0.83(\text{가로}) \times 0.90(\text{형상}) \times 1.00(\text{지세}) \times \frac{1}{1.1}(\text{각지}) \times \frac{1}{(0.8+0.2\times 0.7)} \fallingdotseq 0.722$

5. 공시지가기준가액

$2{,}900{,}000 \times 1.04920 \times 1.000 \times 0.722 \times 1.00 \fallingdotseq 2{,}200{,}000$원/㎡

Ⅲ. 거래사례비교법

1. 사례선정

일반상업, 상업용으로서 배분법 적용이 가능 등을 고려하여 거래사례 2를 선정함.

2. 사례토지가격(2024.5.1.)

$[900{,}000{,}000 - \{140{,}000 \times \underset{\text{시}^*}{0.93522} \times (1-0.9 \times \frac{3}{50}) \times 720\}] \div 350 \fallingdotseq @2{,}316{,}630$

*시점 ($\frac{2024.4}{2021.4}$, 생산자물가지수) : $\frac{99.32}{106.20}$

3. 시점수정치(2024.5.1.~2025.8.1.)

$1.00000 \times (1-0.01020) \times (1-0.02120) \times (1-0.01511) \times (1-0.03120) \times (1-0.03214) \times 1.00645 \times 1.00800 \times 1.01245 \times 1.00897 \times 1.00254 \times 1.00030 \times 1.00580 \times 1.00880 \times (1+0.00880 \times \frac{32}{30}) \fallingdotseq 0.95233$

4. 지역요인 비교치

$\frac{100}{95} \fallingdotseq 1.053$

5. 개별요인 비교치

$1.00 \times 0.90 \times 1.00 \fallingdotseq 0.900$
도　　형　　지

6. 비준가액

2,316,630 × 1.000(사정) × 0.95233 × 1.053 × 0.900 ≒ 2,090,000원/㎡

Ⅳ. 대상토지가격

「감정평가에 관한 규칙」 제14조에 의하여 공시지가기준법에 의한 시산가액으로 결정하되, 거래사례비교법에 의한 시산가액에 의하여 그 합리성이 지지되는 것으로 판단된다. (2,200,000원/㎡)(총액 : 2,200,000 × 320 = 704,000,000원)

ANSWER 04 20점

Ⅰ. 평가개요

본건은 토지에 대한 시가참조목적의 감정평가로서 기준시점은 가격조사완료일인 2025년 8월 19일이다.

Ⅱ. 공시지가기준법에 의한 시산가액

1. 비교표준지 선정

근린상업지역, 상업용으로서 주변환경이 유사한 표준지 C를 선정한다.

2. 시점수정치(2025.1.1.~2025.8.19. 상업지역)

1.01513 × (1+0.00720 × 50/30) ≒ 1.02731

3. 지역요인 비교치 : 인근지역으로서 대등함. 1.000

4. 개별요인 비교치

1.00(가로) × 1.00(접근) × 1.00(환경) × 94/103(획지) × 1.00(행정) × 1.00(기타) ≒ 0.913

5. 그 밖의 요인보정치

(1) 평가선례의 선정

근린상업지역, 상업용으로서 평가목적이 유사한 평가선례 가를 선정한다.

(2) 격차율 산정

$$\frac{22,500,000 \times 1.03449^{*} \times 1.000(\text{지역}) \times 1.062^{**}}{13,500,000 \times 1.02731} \fallingdotseq 1.782$$

*시점(2024.12.01.~2025.08.19.)
1.00699 × 1.01513 × (1 + 0.00720 × 50/30)

**개별 : 1.00(가로) × 1.00(접근) × 1.00(환경) × 103/97(획지) × 1.00(행정) × 1.00(기타)

(3) 비교치 결정 : 상기 격차율을 참작하여 1.78으로 결정한다.

6. 공시지가기준가액

13,500,000 × 1.02731 × 1.000 × 0.913 × 1.78 ≒ @22,500,000

Ⅲ. 거래사례비교법

1. 사례 선택

근린상업지역의 상업용으로서 주변환경이 유사한 거래사례 #1을 선정한다.

2. 거래사례의 토지거래가격(배분법)

$[16,000,000,000 - (800,000 \times 0.93543^{*} \times \frac{29}{50} \times 1,940.64)] \div 682.7$

≒ @22,202,557

*생산자물가지수($\frac{2024.01.01}{2025.08.19}$) : $\frac{2023.12}{2025.07} = \frac{119.38}{127.62}$

3. 시점수정치(2024.1.1.~2025.8.19. 지가변동률)

1.05261 × 1.01513 × (1+0.00720 × 50/30) ≒ 1.08136

4. 지역요인 비교치

인근지역으로서 대등함. 1.000

5. 개별요인 비교치

1.00(가로) × 1.00(접근) × 1.00(환경) × 94/100(획지) × 1.00(행정) × 1.00 (기타) ≒ 0.940

6. 비준가액

22,202,557 × 1.000(사정) × 1.08136 × 1.000 × 0.940 ≒ @22,600,000

Ⅳ. 감정평가액 결정

「감정평가에 관한 규칙」 제14조 의하여 공시지가기준법에 의한 시산가액으로 결정하되, 거래사례비교법에 의한 시산가액에 의하여 그 합리성이 인정된다.

@22,500,000 (× 660.2 = 14,854,500,000원)

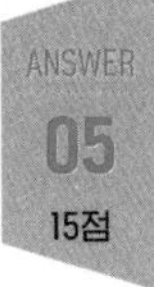

Ⅰ. 평가개요

본건은 토지에 대한 시가참조 목적의 감정평가로서 기준시점은 가격조사완료일인 2025년 6월 25일(감칙 제9조)이다.

Ⅱ. 공시지가 기준법

1. 비교표준지 선정

일반상업, 상업용으로서 도로조건 등 본건과 개별적으로 유사한 표준지 A를 선정한다.

2. 시점수정치(2025.01.01.~2025.06.25. 상업)

1.01978 × (1 + 0.00351 × 25/31) ≒ 1.02267

3. 지역요인 비교치 : 인근지역으로서 대등하다(1.000).

4. 개별요인비교치 : 100/100(도로) × 105/100(각지) × 100/100(형상) ≒ 1.050

5. 그 밖의 요인 비교치

(1) 평가선례 선정 : 일반상업지역의 상업용으로서 평가선례 나를 선정한다.

(2) 격차율 산정

$$\frac{17,900,000 \times 1.02491 \times 1.000 \times 1.013}{11,000,000 \times 1.02267} \fallingdotseq 1.652$$

*시점 : 1.00219 × 1.01978 × (1+0.00351 × 25/31)

**개별요인 : 100/100(도로) × 100/105(각지) × 100/94(형상)

(3) 결정 : 상기 격차율을 고려하여 1.65로 결정한다.

6. 공시지가 기준가액

11,000,000 × 1.02267 × 1.000 × 1.050 × 1.65 ≒ 19,500,000원/㎡

Ⅲ. 거래사례비교법

1. 거래사례 선정 : 일반상업, 상업용으로서 유사한 거래사례 다를 선정한다.

2. 거래사례의 토지단가

[6,000,000,000 − (1,100,000 × 32/50 × 1,500)] ÷ 300 = @16,480,000

3. 시점수정(2024.01.01.~2025.06.25. 상업)

1.03699 × 1.01978 × (1 + 0.00351 × 25/31) ≒ 1.06050

4. **지역요인 비교치** : 인근지역으로서 대등하다(1.000).

5. **개별요인 비교치** : 100/100(도로) × 105/100(각지) × 100/94(형상) ≒ 1.117

6. **비준가액**

16,480,000 × 1.000(사정) × 1.06050 × 1.000(지역) × 1.117 ≒ 19,500,000원/㎡

Ⅳ. 토지 감정평가액 결정

감칙 제14조에 의하여 공시지가 기준법으로 결정하되, 거래사례비교법에 의한 합리성이 인정되는 것으로 판단된다. 19,500,000원/㎡(×206.6 = 4,028,700,000원)

ANSWER 06 15점

Ⅰ. 평가개요

본건은 기준시점 2025년 7월 20일 기준의 나지의 감정평가로서 거래사례비교법으로 평가함.

Ⅱ. 사례선정

제시된 사례 A, B 모두 본건과 위치적·물적 유사성이 있고 비교가능성이 높아 모두 선정함.

Ⅲ. 사례 A

1. 사례토지가격 산정

840,000,000 × 0.4 = 336,000,000원(425,000원/㎡)

2. 사정보정치

$$\frac{100}{100+10} \fallingdotseq 0.909$$

3. 시점수정치(2024.7.1.~2025.7.20. S구 상업지역)

$$1.05192 \times 1.06148 \times (1 + 0.00900 \times \frac{20}{30}) \fallingdotseq 1.12329$$

4. 지역요인 비교

인근지역으로서 대등함. 1.000

5. 개별요인 비교

대등함. 1.000

6. 비준가액

425,000 × 0.909× 1.12329 × 1.000 × 1.000 ≒ 434,000원/㎡

Ⅳ. 사례 B

1. 사례토지가격 산정

$$[900{,}000{,}000 - \{200{,}000 \times 0.97944^{*} \times (0.6 \times \frac{47}{50} + 0.25 \times \frac{17}{20} + 0.15 \times \frac{7}{10}) \times 3{,}370\}] \div 780 \fallingdotseq @407{,}800$$

*시점수정치 $(\frac{2025.1}{2025.6})$: $\frac{110.02}{112.33}$

2. 시점수정치(2025.2.12.~2025.7.20. H구 상업지역)

$$(1+0.00225\times\frac{17}{28})\times1.01365\times1.01225\times1.00076\times1.00800\times(1+0.00800\times\frac{20}{30})$$

$\fallingdotseq 1.04200$

3. 지역요인 비교

각 동별 표준적 획지의 가격수준을 기초로 산정함.

$$\frac{430{,}000\text{원}/\text{m}^2}{398{,}000\text{원}/\text{m}^2} \fallingdotseq 1.080$$

4. 개별요인 비교

대등함. 1.000

5. 비준가액

407,800 × 1.000 × 1.04200 × 1.080 × 1.000 ≒ 459,000원/㎡

Ⅴ. 대상토지의 가격결정

사례 A, B를 기준으로 한 비준가액을 산정한 결과 가격의 유사성이 확인되나 인근지역에 소재하는 사례인 거래사례 A의 신뢰성이 더 높은 것으로 판단되는바, 거래사례 A에 의한 시산가액을 비준가액으로 결정함(434,000원/㎡).

∴ 434,000 × 800 = 347,200,000원

ANSWER 07 20점

Ⅰ. 평가개요

본건은 토지에 대한 거래사례비교법에 의한 감정평가로서 기준시점은 2025년 6월 30일이다.

Ⅱ. 거래사례의 선정

보전녹지지역, 상업용으로서 최근에 거래되었으며, 사정보정이 가능한 거래사례 3을 선택한다.
(사례 #1 : 사정개입, 사례 #2 : 시간적 격차로 배제)

Ⅲ. 거래사례의 토지단가

1. 사례거래금액의 현가

$$4{,}000{,}000{,}000 \times [0.2 + \frac{0.3}{1.04^2} + 0.5\times(\frac{0.03\times1.03^5}{1.03^5-1}\times\frac{1.04^5-1}{0.04\times1.04^5}) \times \frac{1}{1.04^2}]$$

≒ 3,706,945,000원

2. 사례토지의 거래단가

$$(3{,}706{,}945{,}000 \times \frac{100}{95} - 800{,}000 \times 0.97637^{*} \times 43/50 \times 800) \div 2{,}500$$

≒ @1,345,861

*생산자물가지수 : $\frac{2024.12}{2025.05} = \frac{123.97}{126.97}$

Ⅳ. 비준가액

1. 시점수정치(2024.12.19.~2025.6.30. B구 녹지지역)

$(1 + 0.00327\times13/31) \times 1.02104 \times (1 + 0.00419 \times 30/31)$ ≒ 1.02659

2. 지역요인 비교치 : 인근지역으로서 대등함. 1.000

3. 개별요인 비교치 : 1.050

4. 비준가액

1,345,861 × 1.00(사정*) × 1.02659 × 1.000 × 1.050 ≒ 1,450,000원/㎡
(×1,060 = 1,537,000,000원)
*사정보정된 금액이다.

ANSWER 08 20점

Ⅰ. 평가개요

본건은 토지에 대한 일반거래목적의 평가로 기준시점은 2025년 6월 15일이다.

Ⅱ. 거래사례비교법에 의한 시산가액

1. 사례토지의 정상거래가격

(1) 현금등가 및 철거비 처리

철거비는 매도인(A동 200번지 소유자)가 부담하였는바, 고려치 않는다.

$$1,500,000,000 \times (0.2 + 0.8 \times \frac{1}{1.04^2}) \fallingdotseq 1,409,467,000원$$

(2) 합필가치에 따른 사정보정치

1) 증분가치

$$90 \times 1,100 - (100 \times 200 + 70 \times 900) = 16,000$$

2) A동 200번지 배분되는 증분가치

$$16,000 \times \frac{90 \times 1,100 - 70 \times 900}{(90 \times 1,100 - 100 \times 200) + (90 \times 1,100 - 70 \times 900)} \fallingdotseq 5,009$$

3) 사정보정치

$$\frac{100 \times 200}{100 \times 200 + 5,009} \fallingdotseq 0.80$$

(3) 사례토지의 정상거래가격

$$1,409,467,000 \times 0.8 \div 200 \fallingdotseq @5,637,868$$

2. 시점수정치(2024.11.15.~2025.6.15.)

$$(1 + 0.00437 \times 16/30) \times 1.00327 \times 1.02512 \times (1 + 0.00511 \times 15/31)$$
$$\fallingdotseq 1.03342$$

3. 지역요인 : 인근지역으로서 대등함. 1.000

4. 개별요인

본건 : 소로한면, 사다리형, 사례 : 중로한면, 정방형

$$0.90/1.00 \times 0.97/1.00 \fallingdotseq 0.873$$

5. 거래사례비교법에 의한 시산가액

@5,637,868 × 1.000(사정보정*) × 1.03342 × 1.000 × 0.873 ≒ @5,090,000

(× 250 = 1,272,500,000원)

*거래단가는 사정보정된 가액임

ANSWER 09 15점

Ⅰ. 평가개요

본건은 토지(대)에 대한 평가로 기준시점은 2025년 8월 20일이다.

Ⅱ. 공시지가기준법

1. 비교표준지 선정

계획관리지역의 주거용으로서 본건과 비교가능성이 있는 표준지 2(2025년)를 선정함.

2. 시점수정치(2025.1.1.~2025.8.20. 계획관리지역)

$1.00223 \times (1 + 0.01114 \times 51/30) \fallingdotseq 1.02121$

3. 지역요인 비교치

인근지역으로 대등함. ∴ 1.00

4. 개별요인 비교치

(1) 가로조건(도로상태)

대상이 우세함. 1.02

(2) 접근조건(시가지와의 거리)

대상이 열세함. 0.98

(3) 환경조건

대등함. 1.00

(4) 획지조건(형상, 지세)

형상(대상이 우세), 지세(대상이 우세) $1 + 0.02 + 0.02 = 1.04$

(5) 행정조건(도로저촉)

대등함. 1.00

(6) 기타조건

대등함. 1.00

(7) 개별요인 비교치 산정

$1.02 \times 0.98 \times 1.00 \times 1.04 \times 1.00 \times 1.00 = 1.040$

5. 그 밖의 요인보정치

(1) 시점수정치(2024.1.1.~2025.8.20. 계획관리지역)

$$1.01068 \times 1.00223 \times (1 + 0.01114 \times \frac{51}{30}) \fallingdotseq 1.03212$$

(2) 지역요인 비교치

인근지역으로서 대등함. 1.000

(3) 개별요인 비교치

1) 가로조건(도로상태)

표준지 우세함. 1.02

2) 접근조건(시가지와의 거리)

표준지 열세함. 0.98

3) 환경조건

대등함. 1.00

4) 획지조건(형상, 지세)

형상(표준지 열세), 지세(표준지 열세). $1-0.02-0.02=0.96$

5) 행정조건(도시계획시설)

대등함. 1.00

6) 기타조건

대등함. 1.00

7) 개별요인 비교치

$1.02 \times 0.98 \times 1.00 \times 0.96 \times 1.00 \times 1.00 \fallingdotseq 0.960$

(4) 그 밖의 요인보정치 산정

$$\frac{1{,}890{,}000 \times 1.03212 \times 1.000 \times 0.960}{1{,}220{,}000 \times 1.02121} \fallingdotseq 1.503$$

상기 산정된 바, 1.50으로 결정함.

6. 공시지가기준가액

$1{,}220{,}000 \times 1.02121 \times 1.000 \times 1.040 \times 1.50 \fallingdotseq 1{,}940{,}000$원/㎡

Ⅲ. 거래사례비교법

1. 사례선정

제시된 사례는 용도지역, 지목 및 이용상황이 유사하여 적정한 사례로 판단된다.
($360{,}000{,}000 \div 200 = 1{,}800{,}000$원/㎡)

2. 시점수정치(2024.12.20.~2025.8.20.)

$$(1+0.00036 \times \frac{12}{31}) \times 1.00223 \times (1+0.01114 \times \frac{51}{30}) \fallingdotseq 1.02135$$

3. 지역요인 비교치

인근지역으로서 대등함. 1.000

4. 개별요인 비교치

(1) 가로조건(도로상태)
대등함. 1.00

(2) 접근조건(시가지와의 거리)
대상이 우세함. 1.02

(3) 환경조건
대등함. 1.00

(4) 획지조건(형상, 지세)
형상(대상이 우세), 지세(대등) 1 + 0.00 + 0.02 = 1.02

(5) 행정조건(도로저촉)
대등함. 1.00

(6) 기타조건
대등함. 1.00
양 조건 모두 대등함. 1.00

(7) 개별요인 비교치 산정
1.00 × 1.02 × 1.00 × 1.02 × 1.00 × 1.00 ≒ 1.040

5. 비준가액

1,800,000 × 1.000 × 1.02135 × 1.000 × 1.040 ≒ 1,910,000원/㎡

Ⅳ. 평가액 결정

「감정평가에 관한 규칙」 제14조에 의하여 공시지가기준법에 의한 시산가액으로 결정하되, 거래사례비교법에 의한 시산가액에 의하여 그 합리성이 지지되는 것으로 판단된다. (1,940,000원/㎡)(총액 : 1,940,000 × 200 ≒ 388,000,000원)

ANSWER 10
15점

Ⅰ. 평가개요

본건은 A시 B구 C동에 소재하는 토지에 대한 시가참조용 감정평가로서 기준시점은 가격조사 완료일인 2025년 9월 2일임.

Ⅱ. 공시지가기준법

1. 비교표준지 선정

일반상업지역, 상업용으로서 후면상가지대에 소재하는 표준지 3을 선정함.

2. 시점수정치(2025.1.1.~2025.9.2. B구 상업지역)

$1.06466 \times (1 + 0.00300 \times 33/31) \fallingdotseq 1.06806$

3. 지역요인 비교치

인근지역으로서 대등함. 1.000

4. 개별요인 비교치

$$\underset{\text{도}}{\frac{95}{95 \times 1.05}} \times \underset{\text{행}}{\frac{1}{0.8+0.2 \times 0.85}} \times \underset{\text{기}}{\frac{90}{100}} \fallingdotseq 0.884$$

5. 그 밖의 요인보정치

(1) 선례선정

일반상업, 상업용 등 제시된 평가선례 C동 120을 선례로 선정함.

(2) 시점수정치(2025.6.25.~2025.9.2. B구 상업지역)

$$(1 + 0.00900 \times \frac{6}{30}) \times 1.00300 \times (1 + 0.00300 \times \frac{33}{31}) \fallingdotseq 1.00801$$

(3) 지역요인 비교치

인근지역으로서 대등함. 1.000

(4) 개별요인 비교치

$$\underset{\text{도}}{\frac{95 \times 1.05}{95}} \times \underset{\text{행}}{(0.8+0.2 \times 0.85)} \times \underset{\text{기}}{\frac{100}{93}} \fallingdotseq 1.095$$

(5) 그 밖의 요인보정치 산정

$$\frac{3,880,000 \times 1.00801 \times 1.000 \times 1.095}{3,800,000 \times 1.06806} \fallingdotseq 1.055$$

상기와 같이 산정된 바, 1.05로 결정함.

6. 공시지가기준가액

3,800,000 × 1.06806 × 1.000 × 0.884 × 1.05 ≒ 3,770,000원/㎡

Ⅲ. 거래사례비교법

1. 사례선정

일반상업지역, 상업용으로서 사정보정 가능한 거래사례 1을 선정함.

2. 사정보정(철거비 보정)

2,300,000,000 + (50,000,000 − 20,000,000) = 2,330,000,000원(4,017,241원/㎡)

3. 시점수정(2025.4.1.~2025.9.2. 상업지역)

$$1.00600 \times 1.00500 \times 1.00900 \times 1.00300 \times \left(1 + 0.00300 \times \frac{33}{31}\right) \fallingdotseq 1.02646$$

4. 지역요인 비교치

인근지역으로서 대등함. 1.000

5. 개별요인 비교치

$$\underset{\text{도}}{\frac{95}{95}} \times \underset{\text{행}}{\frac{1}{0.7+0.3\times0.85}} \times \underset{\text{기}}{\frac{90}{98}} \fallingdotseq 0.962$$

6. 비준가액

4,017,241 × 1.000 × 1.02646 × 1.000 × 0.962 ≒ 3,970,000원/㎡

Ⅳ. 감정평가액 결정

「감정평가에 관한 규칙」 제14조에 의거 공시지가기준법에 의하되, 거래사례비교법에 의한 시산가액에 의하여 그 합리성이 지지되는 것으로 판단된다.

3,770,000원/㎡(× 600 = 2,262,000,000원)

Ⅰ. 평가개요

본건은 토지에 대한 시가참조목적의 감정평가로서 기준시점은 2025년 9월 10일이다.

Ⅱ. 공시지가기준법

1. 비교표준지 선정

제3종일반주거지역, 상업용으로 유사한 표준지 B를 선정한다.

2. 시점수정치(2025.1.1.~2025.9.10. S구 주거지역)

1.01986 × (1 + 0.00325×41/31) ≒ 1.02424

3. 지역요인 비교치 : 인근지역으로서 대등함. 1.000

4. 개별요인 비교치

본건은 중로세각, 세장형의 토지임.

100/100(가로) × 96/100(형상) × 105/100(각지) ≒ 1.008

5. 그 밖의 요인 비교치

(1) 평가선례의 선정 : 제3종일반주거지역, 상업용으로서 유사한 평가선례 나를 선정한다.

(2) 격차율 산정

$$\frac{21{,}000{,}000 \times 1.02626^{*} \times 1.000(\text{지역}) \times 1.144(\text{개별})^{**}}{13{,}200{,}000 \times 1.02424} \fallingdotseq 1.823$$

*시점수정치(2024.12.10.~2025.09.10.)

(1 + 0.00278×22/31) × 1.01986 × (1 + 0.00325×41/31)

**개별요인 비교치(비교표준지/평가선례) : 100/95 × 100/92 × 100/100

(3) 결정 : 상기 격차율을 고려하여 1.82로 결정한다.

6. 공시지가기준가액

13,200,000 × 1.02424 × 1.000 × 1.008 × 1.82 ≒ 24,800,000원/㎡

Ⅲ. 거래사례비교법

1. 거래사례의 선택

제3종일반주거지역, 상업용으로서 사정이 개입되지 않은 거래사례 다를 선정한다(거래사례 라는 인접지 소유자 매수건으로서 사정 개입이 가능함).

2. 거래사례의 거래단가

(1) 금융보정

$$12{,}000{,}000{,}000 \times (0.7 + 0.3 \times \frac{1}{1.05^2}) \fallingdotseq 11{,}665{,}306{,}000\text{원}$$

(2) 토지배분단가

(11,665,306,000 − 950,000 × 26/50 × 1,100) ÷ 450 ≒ 24,715,347원/㎡

3. 시점수정치(2025.1.1.~2025.9.10. S구 주거지역)

1.01986 × (1 + 0.00325 × 41/31) ≒ 1.02424

4. 지역요인 비교치 : 인근지역으로서 대등함. 1.000

5. 개별요인 비교치

100/100(가로) × 96/100(형상) × 105/100(각지) ≒ 1.008

6. 비준가액

24,715,347 × 1.000(사정) × 1.02424 × 1.000 × 1.008 ≒ 25,500,000원/㎡

Ⅳ. 토지의 평가액 결정

「감정평가에 관한 규칙」 제14조에 의하여 공시지가기준법에 의하되, 거래사례비교법에 의하여 그 합리성이 인정된다.

24,800,000원/㎡(×377.1 = 9,352,080,000원)

ANSWER 12
20점

Ⅰ. 평가개요

본건은 M시 K동에 소재하는 토지에 대한 시가참조용 감정평가로서 2025년 7월 1일을 기준시점으로 평가함.

Ⅱ. 공시지가기준법

1. 비교표준지 선정

제2종일반주거지역, 주거용으로서 소로에 접하여 개별적으로 유사하며 주변환경이 유사한 표준지 C를 선정함.

2. 시점수정(2025.1.1.~2025.7.1. M시 주거지역)

$$1.00411 \times (1 - 0.00046 \times \frac{31}{31}) \fallingdotseq 1.00365$$

3. 지역요인 비교치

인근지역으로 대등함. 1.000

4. 개별요인 비교치

$$\frac{97}{97} \times \frac{98}{105} \fallingdotseq 0.933$$

5. 그 밖의 요인보정치

(1) 선례선정

표준지 C에 적용하는 평가선례 '다'를 선정함.

(2) 시점수정치(2025.5.1.~2025.7.1.)

$$(1 - 0.00046) \times (1 - 0.00046 \times \frac{31}{31}) \fallingdotseq 0.99908$$

(3) 지역요인 비교치

인근지역으로서 대등함. 1.000

(4) 개별요인 비교치

표준지 C 대비 5% 열세한 바, $\frac{100}{95} \fallingdotseq 1.053$

(5) 그 밖의 요인보정치

$$\frac{1,470,000 \times 0.99908 \times 1.000 \times 1.053}{1,100,000 \times 1.00365} \fallingdotseq 1.400$$

상기와 같이 산출되는 바, 그 밖의 요인보정치로서 40% 상향 보정함(1.40).

6. 공시지가기준가액

$1,100,000 \times 1.00365 \times 1.000 \times 0.933 \times 1.40 \fallingdotseq 1,440,000$원/㎡

Ⅲ. 거래사례비교법

1. 사례선정

제2종일반주거지역, 주거용으로서 본건과 인근지역에 소재하여 가치형성요인 비교 등 가능한 거래사례 2를 선정함.

2. 사례의 토지가격

$$(467,000,000 \times \frac{100}{105} - 800,000 \times 1.00000 \times \frac{30}{35} \times 160) \div 240 \fallingdotseq @1,396,032$$

3. 시점수정치(2025.5.17.~2025.7.1. M시 주거지역)

$$(1 - 0.00046 \times \frac{15}{31}) \times (1 - 0.00046 \times \frac{31}{31}) \fallingdotseq 0.99932$$

4. 지역요인 비교치

인근지역으로서 대등함. 1.000

5. 개별요인 비교치

$$\frac{97}{97} \times \frac{98}{100} \fallingdotseq 0.980$$

6. 비준가액

$1,396,032 \times 1.000 \times 0.99932 \times 1.000 \times 0.980 \fallingdotseq 1,370,000$원/㎡

Ⅳ. 원가법(조성원가법)

1. 조성완료 당시 기준(2024.12.1.)

(1) 소지매입비

$$200,000,000 \times \underbrace{\frac{100}{110}}_{\text{사}} \times \underbrace{1.07232}_{\text{시*}} \times 1.000 \times (\frac{97}{93} \times \frac{98}{85}) \fallingdotseq 234,454,000\text{원}(868,348\text{원/㎡})$$

*2023.10.1.~2024.12.1. 투하자본수익률 : 1.005^{14}

(2) 조성공사비 등

$250{,}000 \times 1.1 \times (0.2 \times 1.005^{10} + 0.4 \times 1.005^{5} + 0.4) ≒ 280{,}590$원/㎡

(3) 완공 시 토지가치

$868{,}348 + 280{,}590 ≒ 1{,}148{,}938$원/㎡

2. 적산가액

$1{,}148{,}938 \times \underset{\text{시}^*}{1.00427} ≒ 1{,}150{,}000$원/㎡

*시점수정치(성숙도 보정, 2024.12.1.~2025.7.1, M시 주거지역) :

$1.00062 \times 1.00411 \times (1 - 0.00046 \times \frac{31}{31})$

V. 감정평가액 결정

「감정평가에 관한 규칙」 제14조에 의거 공시지가기준법으로 결정하되, 거래사례비교법에 의하여 합리성이 인정된다. 조성원가법은 공급자 중심 가액으로 합리성이 결여된다고 판단된다.

∴ 1,440,000원/㎡(× 750 = 1,080,000,000원)

Ⅰ. 평가개요

1. 본건은 경기도 P시에 소재하는 공장에 대한 일반거래목적의 감정평가로서 기준시점은 2025년 9월 1일이다.
2. 본건 중 도로부분은 제시된 조건에 따라 평가 외 함.
3. 양 필지는 용도상 불가분 관계에 있으므로 일단지이다.

Ⅱ. 토지의 감정평가액

1. 공시지가기준법

(1) 비교표준지 선정

계획관리지역, 공업용으로서 인근지역에 소재하는 표준지 A를 선정함.

(2) 시점수정치(2025.1.1.~2025.9.1. P시 계획관리)

$$1.00979 \times (1 + 0.00334 \times \frac{32}{31}) \fallingdotseq 1.01327$$

(3) 지역요인 비교치

인근지역으로서 대등함. 1.000

(4) 개별요인 비교치

$$(1.00 \times 1.05) \times 1.00 \times \frac{100}{95} \fallingdotseq 1.105$$

도　　형　　기

(5) 그 밖의 요인보정치

1) 선례선정

계획관리지역, 공업용으로서 비교적 최근에 평가된 평가선례 2를 선정함.

2) 시점수정치(2024.4.4.~2025.9.1. P시 계획관리)

$$1.00872 \times 1.00979 \times (1 + 0.00334 \times \frac{32}{31}) \fallingdotseq 1.02211$$

3) 지역요인 비교치

인근지역으로서 대등함. 1.000

4) 개별요인 비교치

$$1.05 \times 1.00 \times \frac{95}{105} \fallingdotseq 0.950$$

5) 그 밖의 요인보정치

$$\frac{550{,}000 \times 1.02211 \times 1.000 \times 0.950}{350{,}000 \times 1.01327} \fallingdotseq 1.505$$

: 상기와 같이 산출되었는바, 인근의 지가수준을 고려하여 그 밖의 요인비교치로서 50% 상향 보정함(1.50).

(6) 공시지가기준가액

350,000 × 1.01327 × 1.000 × 1.105 × 1.50 ≒ 588,000원/㎡

2. 거래사례비교법

(1) 사례선정

계획관리지역, 공업용으로서 유사한 거래사례 1을 선정하며, 배분법을 적용함.

(2) 사례의 토지가격(2024.3.27.)

$[2,000,000,000 - (420,000 + 30,000) \times 1.05 \times \frac{35}{40} \times 1,296] \div 2,210$

≒ @662,527

(3) 시점수정(2024.3.27.~2025.9.1. P시 계획관리)

$1.00887 \times 1.00979 \times (1 + 0.00334 \times \frac{32}{31}) \fallingdotseq 1.02226$

(4) 지역요인 비교치

인근지역으로서 대등함. 1.000

(5) 개별요인 비교치

$(0.94 \times 1.05) \times 1.00 \times \frac{100}{110} \fallingdotseq 0.897$

도 형 기

(6) 비준가액

662,527 × 1.000 × 1.02226 × 1.000 × 0.897 ≒ 608,000원/㎡

3. 토지의 감정평가액 결정

「감정평가에 관한 규칙」 제14조에 의거 공시지가기준법으로 결정하되, 거래사례비교법에 의하여 그 합리성이 인정된다.

∴ 588,000원/㎡(× 4,724㎡ = 2,777,712,000원)

Ⅲ. 감정평가액 결정

1. 건물의 평가액 결정

450,000 × 35/40 ≒ 394,000원/㎡(738,356,000원)

2. 감정평가액 결정

2,777,712,000 + 738,356,000 = 3,516,068,000원

ANSWER 14
15점

Ⅰ. 평가개요

- 토지 및 건물에 대한 감정평가임(기준시점 : 2025년 6월 20일)
- 토지는 감칙 제14조에 의하여 공시지가기준법에 의하되, 거래사례비교법에 의한 합리성을 검토하고, 건물은 감칙 제15조에 의하여 원가법에 의하되, 합리성 검토를 생략한다.

Ⅱ. 토지의 감정평가액

1. 공시지가기준법

(1) 비교표준지 선정 : 개발제한, 자연녹지의 상업용으로서 표준지 A를 선정한다.

(2) 시점수정치(2025.01.01.~2025.06.20. 녹지지역)

$1.01323 \times (1 + 0.00355 \times 51/30) \fallingdotseq 1.01934$

(3) 개별요인 비교치 : 95/100(도로) × 94/100(형상) × 1.10(집단취락) ≒ 0.982

(4) 그 밖의 요인 비교치

1) 평가선례 선정 : 개발제한, 자연녹지로서 허가용도가 상업용인 평가선례 1을 선택한다.

2) 격차율 산정

$$\frac{2,300,000 \times 1.02189^{*} \times 1.000 \times 1.018^{**}}{1,420,000 \times 1.01934} \fallingdotseq 1.653$$

*2024.12.05.~2025.06.20. 녹지 :
$(1 + 0.00287 \times 27/31) \times 1.01323 \times (1 + 0.00355 \times 51/30)$

**개별요인 : 100/95(도로) × 100/94(형상) × 100/110(집단취락)

3) 그 밖의 요인 비교치 결정 : 상기 격차율 고려하여 1.65으로 결정한다.

(5) 공시지가기준가액

1,420,000 × 1.01934 × 1.000(지역) × 0.982 × 1.65 ≒ 2,350,000원/m^2

2. 거래사례비교법

(1) 거래사례 선택 : 개발제한, 자연녹지로서 비교가능한 거래사례 ㉠을 선정한다.
(거래사례 단가 : 480,000,000 ÷ 300 = @1,600,000)

(2) 시점수정치(2025.01.01.~2025.06.20. 녹지) : 1.01934

(3) 개별요인비교치 : 1.00(도로) × 1.00(형상) × 1.10(집단취락) ×1.30(건축물유무) ≒ 1.430

(4) 비준가액 : 1,600,000 × 1.000(사정) × 1.01934 × 1.000(지역) × 1.430 ≒ 2,330,000원/m^2

3. 토지평가액 결정

감칙 제14조에 의하여 공시지가 기준법에 의하되, 거래사례비교법에 의하여 그 합리성이 인정된다. 2,350,000원/m^2(×330 = 775,500,000원)

Ⅲ. 건물 평가액

1,300,000 × 24/45 ≒ 693,000원/m^2(×150 = 103,950,000원)

Ⅳ. 토지 및 건물의 감정평가액

775,500,000 + 103,950,000 = 879,450,000원

ANSWER 15
15점

Ⅰ. 평가개요

본건은 A시 B구 C동에 소재하는 토지의 일반거래목적의 감정평가로서 기준시점은 가격조사 완료일인 2025년 9월 2일임.

Ⅱ. 공시지가기준법

1. 비교표준지 선정

일반상업지역, 상업용으로서 공법상 제한이 유사한 표준지 3을 선정함.

2. 시점수정치(2025.1.1.~2025.9.2. 상업지역)

$$1.06466 \times (1 + 0.00300 \times \frac{33}{31}) \fallingdotseq 1.06806$$

3. 지역요인 비교치

인근지역으로서 대등함. 1.000

4. 개별요인 비교치

$$\underset{\text{도}}{\frac{95}{95 \times 1.05}} \times \underset{\text{기}}{\frac{90}{100}} \fallingdotseq 0.857$$

5. 그 밖의 요인보정치

(1) 선례선정

일반상업, 상업용 등 제시된 선례 A를 선정함.

(2) 시점수정치(2025.4.1.~2025.9.2. 상업지역)

$$1.00600 \times 1.00500 \times 1.00900 \times 1.00300 \times (1 + 0.00300 \times \frac{33}{31}) \fallingdotseq 1.02646$$

(3) 지역요인 비교치

인근지역으로서 대등함. 1.000

(4) 개별요인 비교치

$$\underset{\text{도}}{\frac{95 \times 1.05}{95}} \times \underset{\text{기}}{\frac{100}{99}} \fallingdotseq 1.061$$

(5) 그 밖의 요인보정치

$$\frac{4{,}000{,}000 \times 1.02646 \times 1.000 \times 1.061}{2{,}800{,}000 \times 1.06806} \fallingdotseq 1.456$$

상기와 같이 산출되었는바, 그 밖의 요인비교치로서 45% 상향 보정함(1.45).

(6) 공시지가기준가액

2,800,000 × 1.06806 × 1.000 × 0.857 × 1.45 ≒ 3,720,000원/㎡

Ⅲ. 거래사례비교법

1. 사례선정

일반상업지역으로서 상업용이며, 배분법 적용이 가능한 거래사례 2를 선정함.

2. 사례토지단가

(4,000,000,000 − 1,500,000,000) ÷ 610 ≒ @4,098,361

3. 시점수정치(2025.2.1.~2025.9.2. 상업지역)

$1.01500 \times 1.01200 \times 1.00600 \times 1.00500 \times 1.00900 \times 1.00300 \times (1 + 0.00300 \times \frac{33}{31}) ≒ 1.05436$

4. 지역요인 비교치

인근지역으로서 대등함. 1.000

5. 개별요인 비교치

$\frac{1}{1.05} \times \frac{90}{99} ≒ 0.866$

6. 비준가액

4,098,361 × 1.000 × 1.05436 × 1.000 × 0.866 ≒ 3,740,000원

Ⅳ. 감정평가액 결정

「감정평가에 관한 규칙」 제14조에 의하여 공시지가기준법을 기준하되, 거래사례비교법에 의하여 합리성이 인정된다.

∴ 3,720,000원/㎡(× 600 = 2,232,000,000원)

ANSWER 16
35점

PART 02

Ⅰ. 평가개요

1. 본건은 토지에 대한 경매목적 평가로서 2025년 7월 22일(가격조사 완료일)이 기준 시점임.
2. 기호 1은 둘 이상 용도지역에 걸친 토지로서 용도지역별로 평가함.

Ⅱ. 비교표준지 선정

1. 기호 1

현황 기준하여 단독주택 부지로서 평가함.
계획관리지역 부분은 계획관리, 단독주택 등 표준지 B를 선정하고, 농림지역 부분은 인근지역의 적절한 표준지가 없다고 판단하는 바 유사지역 내 농림지역, 단독주택 등 표준지 F를 선정함.

2. 기호 2

현황 기준하여 농림지역, 전 등 표준지 A를 선정함.

Ⅲ. 시점수정치(2025.1.1.~2025.7.22.)

1. 표준지 B(K시 계획관리지역)

$$1.02080 \times (1 + 0.00076 \times \frac{52}{31}) \fallingdotseq 1.02210$$

2. 표준지 F(S구 농림지역)

$$1.01392 \times (1 + 0.00126 \times \frac{52}{31}) \fallingdotseq 1.01606$$

3. 표준지 A(K시 농림지역)

$$1.01629 \times (1 + 0.00280 \times \frac{52}{31}) \fallingdotseq 1.02106$$

Ⅳ. 지역요인 비교치

1. 표준지 A, B

인근지역으로서 대등함. 1.000

2. 표준지 F

표준적 획지의 가격수준을 기준으로 함.
150,000/180,000 ≒ 0.833

Ⅴ. 개별요인 비교치

1. 기호 1(계획관리지역 부분)

$$\frac{80}{80}\times\frac{85}{85}\times\frac{100}{95}\fallingdotseq 1.053$$

2. 기호 1(농림지역 부분)

$$\frac{80}{75}\times\frac{85}{87}\times\frac{100}{100}\times\frac{1}{(0.8+0.2\times0.85)}\fallingdotseq 1.074$$

3. 기호 2

$$\frac{75}{70}\times\frac{85}{90}\times\frac{100}{100}\fallingdotseq 1.012$$

Ⅵ. 그 밖의 요인보정치

1. 표준지 B

(1) 거래사례 등 선정

계획관리, 단독주택 등 #1 선정(238,000,000 ÷ 870 ≒ @ 274,000)

(2) 시점수정치(2024.1.1.~2025.7.22. K시 계획관리지역)

$$1.02811\times1.02080\times(1+0.00076\times\frac{52}{31})\fallingdotseq 1.05083$$

(3) 지역요인 비교치

인근지역으로서 대등함. 1.000

(4) 개별요인 비교치

$$\frac{80}{75}\times\frac{85}{85}\times\frac{95}{100}\fallingdotseq 1.013$$

(5) 격차율 산정

$$\frac{274,000\times1.000\times1.05083\times1.000\times1.013}{158,000\times1.02210}\fallingdotseq 1.806$$

상기 격차율을 고려하여 1.80으로 결정함.

2. 표준지 F

(1) 거래사례 등 선정

농림지역, 단독주택 등 비교표준지와 인근지역인 #7을 선정함.

(2) 시점수정치(2024.12.1.~2025.7.22. S구 농림지역)

$$1.00216\times1.01392\times(1+0.00126\times\frac{52}{31})\fallingdotseq 1.01826$$

(3) 지역요인 비교치

인근지역으로서 대등함. 1.000

(4) 개별요인 비교치

$$\frac{75}{75}\times\frac{87}{96}\times\frac{100}{100}\times(0.8+0.2\times0.85) \fallingdotseq 0.879$$

(5) 격차율 산정

$$\frac{186{,}000\times1.01826\times1.000\times0.879}{121{,}000\times1.01606} \fallingdotseq 1.354$$

상기 격차율을 고려하여 1.35로 결정함.

3. 표준지 A

(1) 거래사례 등 선정

농림지역, 답으로서 유사성 있는 #3을 선정함.

(2) 시점수정치(2024.1.1.~2025.7.22. K시 농림지역)

$$1.03106\times1.01629\times(1+0.00280\times\frac{52}{31}) \fallingdotseq 1.05278$$

(3) 지역요인 비교치

인근지역으로서 대등함. 1.000

(4) 개별요인 비교치

$$\frac{70}{70}\times\frac{90}{90}\times\frac{100}{100} \fallingdotseq 1.000$$

(5) 격차율 산정

$$\frac{108{,}500\times1.05278\times1.000\times1.000}{52{,}000\times1.02106} \fallingdotseq 2.151$$

상기 격차율을 고려하여 2.15로 결정함.

Ⅶ. 토지평가액

1. 기호 1

(1) 계획관리부분

158,000 × 1.02210 × 1.000 × 1.053 × 1.80 ≒ 306,000원/㎡(955,944,000원)

(2) 농림지역부분

121,000 × 1.01606 × 0.833 × 1.074 × 1.35 ≒ 148,000원/㎡(270,396,000원)

(3) 기호 1 소계 : 1,226,340,000원

2. 기호 2

52,000 × 1.02106 × 1.000 × 1.012 × 2.15 ≒ 116,000원/㎡(747,504,000원)

ANSWER 17 20점

Ⅰ. 평가개요

토지에 대한 시가참조목적의 감정평가로서 2025년 7월 1일을 기준시점으로 평가한다.

Ⅱ. 공시지가기준법(미저촉 부분)

1. 비교표준지의 선정

제2종일반주거지역, 주상용으로서 표준지 A를 선정한다.

2. 시점수정치(2025.1.1.~2025.7.1.)

$1.01954 \times (1 + 0.00234 \times 31/31) \fallingdotseq 1.02193$

3. 지역요인 비교치 : 대등함. 1.00

4. 개별요인 비교치

$$\frac{100}{105} \times \frac{1}{0.6+0.4\times0.85} \fallingdotseq 1.013$$

5. 그 밖의 요인 비교치

(1) 평가선례 적정성

선정된 평가선례는 제2종일반주거지역, 주상용의 시가참조 선례로서 적정하다.

(2) 격차율 산정

$$\frac{4,750,000\times 1.02514^{*} \times 1.000\times 1.131^{**}}{3,000,000\times 1.02193} \fallingdotseq 1.796$$

*시점(2024.12.01.~2025.07.01.) : $1.00315 \times 1.01954 \times (1 + 0.00234 \times 31/31)$

**개별요인 : $\frac{105}{90}\times\frac{0.6+0.4\times0.85}{0.8+0.2\times0.85}$

(3) 결정 : 상기의 격차율 기준 1.79로 결정한다.

6. 공시지가기준가액

$3,000,000 \times 1.02193 \times 1.000 \times 1.013 \times 1.79 \fallingdotseq 5,560,000$원/㎡

Ⅲ. 거래사례비교법(미저촉 부분)

1. 선정된 사례의 적정성

선정된 거래사례는 제2종일반주거지역, 주상용의 거래사례로 적정하다.

2. 거래사례의 토지가격

(1,312,000,000 − 800,000* × 27/50 × 450) ÷ 220 = @5,080,000

*도시계획시설도로 저촉에 대한 감가가 반영된 수치임

3. 시점수정치(2024.11.15.~2025.7.1.)

$(1 + 0.00242 \times 16/30) \times 1.00315 \times 1.01954 \times (1 + 0.00234 \times 31/31)$
$\fallingdotseq 1.02647$

4. 지역요인 비교치 : 대등함. 1.00

5. 개별요인 비교치

거래사례는 대부분 도로 저촉으로서 전체가 저촉된 거래로 본다.

$$\frac{100}{110} \times \frac{1}{0.85} \fallingdotseq 1.070$$

6. 비준가액

5,080,000 × 1.000(사정) × 1.02647 × 1.000 × 1.070 ≒ 5,580,000원/㎡

Ⅳ. 토지의 감정평가액 결정

「감정평가에 관한 규칙」 제14조에 의하여 공시지가기준법에 의하되, 거래사례비교법에 의하여 그 합리성이 인정되는 것으로 판단된다.

구분	단가(원/㎡)	면적(㎡)	총액
미저촉부분	5,560,000	350	1,946,000,000
저촉부분	4,726,000	150	708,900,000
소계	–	500	2,654,900,000

ANSWER 18 20점

Ⅰ. 평가개요

본건은 토지에 대한 감정평가로서 기준시점은 2025년 6월 20일이다.

Ⅱ. 비교표준지 선정

제1종일주, 주거용으로서 유사한 표준지 A를 선정한다.

Ⅲ. 시점수정치(2025.01.01.~2025.06.20. 주거)

1.01553 × (1+0.00418×51/30) ≒ 1.02275

Ⅳ. 개별요인 비교치(미저촉부분)

$$1.00(\text{도로}) \times 96/98(\text{형상}) \times 1.00(\text{지세}) \times \frac{1}{0.8+0.2\times0.85} \fallingdotseq 1.010$$

Ⅴ. 그 밖의 요인 비교치

1. 사례 선택 : 1종일반주거지역으로서 단독주택인 사례 가를 선택한다.

2. 사례의 배분단가

(1,400,000,000 - 900,000 × 25/50 × 200) ÷ 300 ≒ @4,366,667

3. 격차율 산정

$$\frac{4{,}366{,}667\times1.000(\text{사정})\times1.02614^{*}\times1.000(\text{지역})\times0.955(\text{개별})^{**}}{2{,}800{,}000\times1.02275} \fallingdotseq 1.494$$

*시점(2024.12.01.~2025.06.20.) : 1.00332 × 1.01553 × (1+0.00418× 51/30)

$$^{**}\text{개별요인} : 95/100 \times 98/96 \times 1.00 \times \frac{0.8+0.2\times0.85}{0.9+0.1\times0.85}$$

4. 결정 : 상기 격차율을 고려하여 1.49로 결정한다.

Ⅵ. 토지의 감정평가액

2,800,000 × 1.02275 × 1.000(지역) × 1.010 × 1.49 ≒ @4,310,000

*총액

- 미저촉부분($450m^2$) @4,310,000 × 450 = 1,939,500,000원
- 도로저촉부분($50m^2$) @3,663,500(=4,310,000 × 0.85) × 50 = 183,175,000원
- 소계 : 2,122,675,000원

Ⅰ. 평가개요

- 본건은 공업용 토지에 대한 감정평가로서 2025년 6월 15일을 기준시점으로 한다.
- 본건은 일단지로서 평가한다.

Ⅱ. 비교표준지 적부

본건과 같은 계획관리지역의 공업용으로서 가치형성요인이 유사한 A 선정함.

Ⅲ. 시점수정치(2025.1.1.~2025.6.15.)(지가변동률)

1.00979 × (1 + 0.00334×15/31) ≒ 1.01142

Ⅳ. 지역요인 비교치

인근지역으로서 대등함. 1.000

Ⅴ. 개별요인 비교치

$$0.70/0.80 \times 0.95/0.94 \times \frac{1}{0.8 + 0.2 \times 0.85} \fallingdotseq 0.912$$

Ⅵ. 그 밖의 요인비교치

(1) **평가선례 적부** : 계획관리지역, 공업용으로서 적정함.

(2) **시점수정치**(2025.5.1.~2025.6.15.) : 1.00334 × (1 + 0.00334×15/31) ≒ 1.00496

(3) **개별요인 비교치**(비교표준지/평가선례)
0.80/0.90 × 0.94/0.94 × (0.8 + 0.2×0.85) ≒ 0.862

(4) **격차율 산정** : $\frac{506,000 \times 1.00496 \times 1.000 \times 0.862}{350\,000 \times 1.01142} \fallingdotseq 1.238$

(5) **그 밖의 요인비교치** : 상기 격차율을 고려하여 1.23으로 결정한다.

Ⅶ. 토지의 평가액

350,000 × 1.01142 × 1.000 × 0.912 × 1.23 ≒ 397,000원/㎡(×3,524(일단지) = 1,399,028,000원)
(@337,450×1,200(도로저촉) = 404,940,000원)
소계 : 1,803,968,000원

ANSWER 20
20점

Ⅰ. 평가개요

본건은 토지에 대한 일반거래목적 감정평가임.

Ⅱ. (물음 1) 기준시점 결정

「감정평가에 관한 규칙」 제9조 제2항에 의거 별도 제시된 기준시점은 없는 바 가격조사 완료일인 2025년 4월 4일을 기준함.

Ⅲ. (물음 2) 평가대상 및 평가방법 확정

1. 평가대상 확정

제시된 의뢰인 조건을 고려하여 지상의 건물을 평가 외하며, 토지만을 평가대상으로 확정한다.

2. 평가방법

「감정평가 및 감정평가사에 관한 법률」 제3조, 「감정평가에 관한 규칙」 제14조에 의거하여 공시지가기준법을 기준으로 감정평가하며, 「감정평가에 관한 규칙」 제12조에 의거, 거래사례비교법에 의하여 합리성을 검토함.

Ⅳ. (물음 3) 감정평가액 결정

1. 처리방침

양 필지 허가 후 토목공사 중으로 현황 기준하여 '공장용지'를 기준함. 건축허가를 득한 점 등을 고려하여 용도상 불가분 관계로 판단, 일단지로 평가함.

2. 공시지가기준법

(1) 비교표준지 선정

계획관리, 공업용 등 표준지 A를 선정함.

(2) 시점수정치(2025.1.1.~2025.4.4. I시 계획관리지역)

$$1.00259 \times (1 + 0.00130 \times \frac{35}{29}) \fallingdotseq 1.00416$$

(3) 지역요인 비교치

인근지역으로서 대등함. 1.000

(4) 개별요인 비교치

일단지를 기준하여 비교함.

$$1.00 \times 0.96 \times 1.00 \times 0.80 \times \frac{1}{0.8 + 0.2 \times 0.85} \times 1.00 \fallingdotseq 0.792$$

(5) 그 밖의 요인보정치

1) 평가선례 선정

계획관리, 공업용 등 평가목적이 유사한 선례 a를 선정함.

2) 시점수정치(2024.3.19.~2025.4.4. I시 계획관리지역)

$1.01332 \times 1.00259 \times (1 + 0.00130 \times \frac{35}{29}) \fallingdotseq 1.01754$

3) 지역요인 비교치

인근지역으로서 대등함. 1.000

4) 개별요인 비교치

$1.05 \times 1.10 \times 1.00 \times 1.00 \times (0.80 + 0.20 \times 0.85) \times 1.00 \fallingdotseq 1.120$

5) 격차율 산정

$\frac{183{,}000 \times 1.01754 \times 1.000 \times 1.120}{115{,}000 \times 1.00416} \fallingdotseq 1.806$

상기와 같이 산정된 바, 1.80으로 결정함.

(6) 공시지가기준가액

115,000 × 1.00416 × 1.000 × 0.792 × 1.80 ≒ 165,000원/㎡

3. 거래사례비교법

(1) 사례선정

계획관리, 공업용 등 본건과 같은 이행단계에 있는 제시된 거래사례를 선정함. (118,000원/㎡)

(2) 시점수정치(2024.11.16.~2025.4.4. I시 계획관리지역)

$1.00461 \times 1.00259 \times (1 + 0.00130 \times \frac{35}{29}) \fallingdotseq 1.00879$

(3) 지역요인 비교치

인근지역으로서 대등함. 1.000

(4) 개별요인 비교치

1.00 × 1.10 × 1.10 × 1.10* × 1.00 × 1.00 ≒ 1.331

*성숙도 차이는 조성정도로서 획지조건으로 비교함.

(5) 비준가액

118,000 × 1.000 × 1.00879 × 1.00 × 1.331 ≒ 158,000원/㎡

4. 감정평가액 결정

「감정평가에 관한 규칙」 제14조에 의거하여 공시지가기준법을 기준함. 거래사례비교법에 의하여 합리성이 인정됨.

∴ 165,000원/㎡(4,812,555,000원)

ANSWER 21 10점

Ⅰ. 평가개요

토지의 준공 시 가액을 산정한 후 지가변동률로 기준시점까지 시점수정하여 토지의 적산가액(기준시점의 토지가액)을 산정함(기준시점 : 2025년 2월 23일).

Ⅱ. 준공시점의 토지가격(2025.1.1.)

1. 소지매입비

700,000 × 1.08849 ≒ 762,000원/㎡(381,000,000원)
시*

*시점수정치(2023.8.1.~2024.12.31, 투하자본수익률 기준) : 1.005^{17}

2. 조성공사비

75,000,000 × $(1.005^{12} + 1.005^{6})$ ≒ 156,904,000원

3. 수급인의 이윤

150,000,000 × 0.1 = 15,000,000원

4. 준공시점의 토지가격

381,000,000 + 156,904,000 + 15,000,000 = 552,904,000원(1,110,000원/㎡)

Ⅲ. 기준시점의 토지가격(2025.2.23.)

1,110,000 × 1.01177 ≒ 1,120,000원/m^2(560,000,000원)
시*

*시점수정(성숙도 수정) (2025.1.1.~2025.2.23, 계획관리지역) :

$1.00674 \times (1 + 0.00674 \times \frac{23}{31})$

Ⅰ. 평가개요

- 토지를 조성원가법에 의하여 평가함(기준시점 : 2025.7.15.).
- 공부상 지목에 불구하고 현황 기준 대지로 평가함.

Ⅱ. 조성완료 시 토지가치(2025.5.31.)

1. 소지가격(매입가격 기준)

500,000,000 × 1.04 ≒ 520,000,000원

2. 조성비용

(1) 토지가치에 화체되는 조성비

1) 조성비, 지질조사 및 측량비 : 205,000,000원

2) 공통귀속분 중 토지가치 화체되는 가액

① 토지가격비율

$$\frac{500,000,000 + 200,000,000 + 5,000,000}{(500,000,000 + 200,000,000 + 5,000,000) + (800,000,000 + 4,000,000)}$$

≒ 46.7%

② 공통귀속분 중 토지가치 화체되는 가액

(10,000,000 + 20,000,000 + 5,000,000 + 4,000,000 + 200,000,000) × 46.7% = 111,613,000원

3) 토지가치에 화체되는 조성비 : 205,000,000 + 111,613,000 = 316,613,000원

(2) 조성비용의 현재가치

316,613,000 × (0.3×1.04 + 0.7) ≒ 320,412,000원

3. 조성완료시점의 토지가치

520,000,000 + 320,412,000 = 840,412,000원(÷1,800* ≒ 466,896원/m^2)

*유효택지면적기준

Ⅲ. 기준시점의 토지가치(성숙도 수정)

466,896 × 1.00378* ≒ 469,000원/m^2(×1,800** = 844,200,000원)

*2025.06.01.[1]~2025.07.15.(성숙도 수정, 지가변동률)
**유효택지면적기준

1) 시점수정 시 6월 1일 0시부터 시점수정이 되는 것으로 보아 5월 31일의 날을 산입하지 아니하였음.

Ⅰ. 평가개요

본건은 매립지에 대한 일반거래목적의 평가로서 2025년 1월 17일을 기준시점으로 함.

Ⅱ. 평가방식의 선정 및 적용

대상은 매립지로서 거래사례 및 수익사례의 수집이 어려우므로 제시된 자료를 기준으로 보건대, 조성원가법(가산방식)을 활용하여 평가액을 결정함(방매사례는 아직 거래가 활발히 이루어지지 않는바, 공급자 중심의 가격으로 판단되어 고려치 아니함).

Ⅲ. 조성원가법

1. 조성완료 시 토지가격

(1) 소지가격 : $30,000,000,000 \times 1.005^6 \fallingdotseq 30,911,325,000$원

(2) 조성비용

1) 매립비용 : $10,000,000,000 \times (0.3 \times 1.005^6 + 0.3 \times 1.005^4 + 0.4)$
$\fallingdotseq$ 10,151,584,000원

2) 기타 : $15,000,000,000 \times 1.005^6 + 200,000 \times 48,000 \fallingdotseq 25,055,663,000$원

3) 소계 : $10,151,584,000 + 25,055,663,000 = 35,207,247,000$원

(3) 토지의 평가액

$$\frac{30,911,325,000 + 35,207,247,000}{48,000\text{m}^2} \fallingdotseq 1,380,000\text{원/m}^2$$

2. 기준시점 토지가액(성숙도 수정)

$1,380,000 \times 1.00296^* \fallingdotseq 1,380,000$원/m²($\times$ 400 = 552,000,000원)

*시점수정치, 2025.01.01.~2025.01.17. 지가변동률 : $1 + 0.00540 \times 17/31$

ANSWER 24 20점

Ⅰ. 평가개요

본건은 택지후보지에 대한 2025년 8월 30일을 기준으로 한 평가로 개발법에 의해 산정함.

Ⅱ. 기준시점 분양가격 산정

1. 처리방침

분양사례 택지의 거래시점을 기준으로 하여 분양가격을 산정함(40,000원/㎡).

2. 지역요인 비교치

인근지역으로서 대등함. 1.000

3. 준공대상 부동산의 개별요인 비교치

$$\frac{100}{100}\times\frac{100}{90}\times\frac{90}{90}\times\frac{100-2\times10}{100-2\times13}\fallingdotseq 1.201$$

이　향　도　거

4. 준공대상 부동산의 분양가격 산정

40,000 × 1.000 × 1.04439 × 1.000 × 1.201 ≒ 50,000원/㎡(15,000,000원/필지)

사　시*　지(인근)

*시점수정치(2025.3.19.~2025.8.30. J시 주거지역)

$$(1+0.00687\times\frac{13}{31})\times1.01066\times1.02011\times1.00332\times(1+0.00332\times\frac{61}{30})$$

Ⅲ. 개발법에 의한 감정평가액

1. 분양획지수

$$\frac{6{,}000-(750+500)}{300}\fallingdotseq 15.833$$

∴ 300㎡ 정상획지 : 15획지(획지당 15,000,000원), 미달획지 : 1획지(0.833 × 300㎡ ≒ 250㎡, 획지당 50,000원/㎡ × 250㎡ × 0.8 = 10,000,000원)

2. 총분양가격

15,000,000 × 15획지 + 10,000,000 × 1획지 ≒ 235,000,000원

3. 조성비용

(1,000 × 6,000) + (200,000 × 16) + (10,000 × 6,000) + (5,000 × 6,000)

설계　측량　토목　기타

= 99,200,000원

4. 감정평가액

235,000,000 − 99,200,000 = 135,800,000원(÷6,000 ≒ 23,000원/㎡)

ANSWER 25 10점

Ⅰ. 평가개요

토지를 개발법에 의하여 평가함(기준시점 : 2025.6.1.)

Ⅱ. 준공 후 부동산가치

1. 준공 후 분양가

4,200,000 × 1,000 = 4,200,000,000원

2. 현재가치

$4,200,000,000 \times \frac{1}{1.045} \fallingdotseq 4,019,139,000$원

Ⅲ. 개발비용의 현가

1. 건축비 및 기타공사비 현가

$1,100,000 \times 1,000 \times 1.2 \times (0.4 + 0.6 \times \frac{1}{1.045}) \fallingdotseq 1,285,895,000$원

2. 적정이윤 현가

$1,100,000 \times 1,000 \times 1.2 \times 0.3 \times \frac{1}{1.045} \fallingdotseq 378,947,000$원

3. 소계

1,664,842,000원

Ⅳ. 개발법에 의한 토지가치

4,019,139,000 − 1,664,842,000 = 2,354,297,000원(3,920,000원/m^2)

ANSWER 26 10점

Ⅰ. 평가개요

서울특별시 관악구 B동에 소재한 건물에 대한 감정평가로, 「감정평가에 관한 규칙」 제15조에 의하여 원가법으로 평가하며, 기준시점은 2025.8.11.임.

Ⅱ. 재조달원가 산정

1. 직접법

$200,000,000 \times \underset{\text{시*}}{1.12053} \fallingdotseq 224,106,000$원(533,000원/㎡)

*시점수정($\frac{2025.7}{2023.7}$, 생산자물가지수) $\frac{112.30}{100.22}$

2. 간접법

$510,000 \times \underset{\text{시*}}{1.02801} \times \underset{\text{개}}{\frac{95}{100}} \fallingdotseq 498,000$원/㎡

*시점수정($\frac{2025.7}{2025.1}$, 생산자물가지수) $\frac{112.30}{109.24}$

3. 재조달원가 결정(적용단가)

간접법에 의한 재조달원가로 결정하되 실제 공사비를 통한 합리성이 인정됨. (498,000원/㎡)

Ⅲ. 적산가액

$498,000 \times \frac{48}{50} \fallingdotseq 478,000$원/㎡(200,760,000원)

ANSWER 27 20점

Ⅰ. 평가개요

본건은 대상토지의 감정평가 및 매입가 타당성 검토의 건이다.

Ⅱ. (물음 1) 감정평가액

1. 수정된 설계내역

(1) 대지면적 : 400－(1 × 20＋0.5 × 20) = 370㎡

*서측은 하천이 소재하므로 3m 도로로부터 1m 후퇴하고 동측은 3m 도로로부터 0.5m 후퇴함.

(2) 건축면적 : 370 × 0.5 = 185㎡

(3) 건축연면적 : 370 × 3.5＋245 = 1,540㎡(각 층별 분양면적 : 220㎡)

2. 토지가액 산정

(1) 총 분양수입 현가

① 총 분양수입 : $1{,}500{,}000 \times 220 \times \frac{100+50+40\times5}{100}$ ≒ 1,155,000,000원

② 총 분양수입 현가 : $1{,}155{,}000{,}000 \times 0.5 \times (\frac{1}{1.004^6}+\frac{1}{1.004^9})$

≒ 1,120,952,000원

(2) 총비용 현가

① 공사비 : $592{,}000{,}000 \times (\frac{0.25}{1.004^3}+\frac{0.25}{1.004^6}+\frac{0.5}{1.004^9})$ ≒ 576,289,000원

② 판매비 등 : 1,120,952,000 × 0.1 ≒ 112,095,000원

③ 총비용 현가 : 576,289,000 + 112,095,000 = 688,384,000원

(3) 감정평가액

1,120,952,000 − 688,384,000 = 432,568,000원(1,080,000원/m^2)

Ⅲ. (물음 2) 매입가 적정성 검토

산출된 감정평가액과 매입예정가액의 유사성이 인정되는바, 제시된 매입예정가는 적정한 수준으로 판단된다.

Ⅰ. 평가개요

본건은 건물에 대한 시가참고 목적 감정평가로 감칙 제15조에 의하여 원가법으로 평가하되 다른 방식에 의한 합리성 검토를 생략한다. 기준시점은 가격조사완료일인 2025년 7월 10일임(감칙 제9조)

Ⅱ. 재조달원가

1. 지하 1층

1,200,000 × 0.8 + (300,000 × 3) ÷ 90㎡(화재) + 80,000,000 ÷ 1,000㎡ (=@80,000)(E/V) = @1,050,000

2. 지상 1~3층

1,200,000 + 50,000(위생) + (300,000 × 15) ÷ 540㎡(화재) + 80,000 ≒ @1,330,000

3. 지상 4층

1,600,000 + 50,000(위생) + 150,000(냉난방) + (300,000 × 5) ÷ 180㎡(화재) + 80,000 ≒ @1,880,000

4. 지상 5~6층

1,100,000 + 50,000(위생) + 150,000(냉난방) + (300,000 × 6) ÷ 190㎡(화재) + 80,000 ≒ @1,380,000

5. 옥탑 : @500,000

Ⅲ. 적용단가(경과연수 : 27년)

1. **지하 1층** : 1,050,000 × $\frac{23}{50}$ ≒ @483,000(×90 = 43,470,000원)

2. **지상 1~3층** : 1,330,000 × $\frac{23}{50}$ ≒ @611,000(×540 = 329,940,000원)

3. **지상 4층** : 1,880,000 × $\frac{23}{50}$ ≒ @864,000(×180 = 155,520,000원)

4. **지상 5~6층** : 1,380,000 × $\frac{23}{23+14}$ ≒ @857,000(×190 = 162,830,000원)

5. **옥탑** : 500,000 × $\frac{18}{45}$ ≒ @200,000(×20 = 4,000,000원)

Ⅳ. 적산가액 : 695,760,000원

ANSWER 29 15점

(문 1)

Ⅰ. 평가개요

건물의 감정평가액을 원가법으로 평가한다.

Ⅱ. 감정평가액

(1) 상업용 부분 : 800,000 × $\frac{44}{50}$ ≒ @704,000 (× 800= 563,200,000원)

(2) 지하주차장 부분 : 500,000 × $\frac{44}{50}$ ≒ @440,000 (× 90 = 39,600,000원)

(3) 주거용 부분 : 1,200,000 × $\frac{44}{44+2}$ ≒ @1,150,000 (× 100 = 115,000,000원)

Ⅲ. 소계 : 717,800,000원

(문 2)

Ⅰ. 평가개요

기본건축비와 부대설비의 비용을 산정하여 대상건물의 감정평가액을 산정한다.

Ⅱ. 재조달원가 산정

1. 지상층 재조달원가

(1) 표준단가 : 일반철골조 기준 600,000원/㎡

(2) 부대설비보정단가 : 30,000 + 150,000 + 20,000 + 30,000 + 20,000*
= 250,000원/㎡
*49,200,000 ÷ 2,460

(3) 재조달원가 : 600,000 + 250,000 = 850,000원/㎡

2. 지하층 재조달원가

(1) 표준단가 : 600,000 × 0.7 = 420,000원/㎡

(2) 부대설비보정단가 : 40,000* + 30,000 + 20,000 = 90,000원/㎡
*14,400,000 ÷ 360

(3) 재조달원가 : 420,000 + 90,000 = 510,000원/㎡

. Ⅲ. 적산가액

1. 지상부분 : 850,000 × 39/45 ≒ @737,000 (× 2,100 = 1,547,700,000원)

2. 지하부분 : 510,000 × 39/45 ≒ @442,000 (× 360 = 159,120,000원)

3. 소계 : 1,706,820,000원

ANSWER 30 20점

Ⅰ. 평가개요

건물에 대한 감정평가로서 2025년 6월 30일을 기준시점으로 하되, 「감정평가에 관한 규칙」 제15조 원가법에 의하며, 합리성 검토는 생략하도록 한다.

Ⅱ. 재조달원가

(신축 당시 공사비는 시점경과 및 사정개입으로 적절하지 않은 바 고려하지 않는다.)

1. 지층 근린생활시설

(900,000 × 0.8) + 20,000 + 140,000* = 880,000원/㎡

*승강기설비 부대설비 보정단가 : 49,000,000 ÷ 350

2. 지상 1층 근린생활시설

900,000 + 30,000 + 20,000 + 140,000 = 1,090,000원/㎡

3. 지상 2층 다가구주택

1,200,000 + 30,000 + 150,000 + 20,000 + 140,000 = 1,540,000원/㎡

4. 지상 3층 다가구주택

800,000 + 30,000 + 150,000 + 20,000 = 1,000,000원/㎡

Ⅲ. 건물의 감정평가액

1. 지층 근린생활시설

880,000 × 25/50 = 440,000원/㎡(×150 = 66,000,000원)

2. 지상 1층 근린생활시설

1,090,000 × 25/50 = 545,000원/㎡(×100 = 54,500,000원)

3. 지상 2층 다가구주택

1,540,000 × 25/50 = 770,000원/㎡(×100 = 77,000,000원)

4. 지상 3층 다가구주택

$1{,}000{,}000 \times \frac{25}{25+15}$ = 625,000원/㎡(×80 = 50,000,000원)

5. 소계 : 247,500,000원

ANSWER 31 20점

Ⅰ. 평가개요

본건은 건물에 대한 현물출자 목적 평가로서 2025년 6월 30일을 기준시점으로 평가하며, 「감정평가에 관한 규칙」 제15조에 따라 원가법을 기준한다. 합리성 검토는 생략함.

Ⅱ. 재조달원가

1. 간접법에 의한 재조달원가

(1) 각 용도별 재조달원가

1) 주차장

450,000* + 25,000 + 46,000** = 521,000원/㎡(1,406,700,000원)

*600,000 × 0.75

**승강기 보정단가 : 760,000,000 ÷ 16,350㎡

2) 근린생활시설

600,000 + 25,000 + 35,000 + 46,000 = 706,000원/㎡(1,235,500,000원)

3) 업무시설

700,000 + 25,000 + 35,000 + 100,000 + 46,000 = 906,000원/㎡ (2,310,300,000원)

4) 주거용 오피스텔

1,100,000 + 25,000 + 35,000 + 100,000 + 46,000 = 1,300,000원/㎡ (12,155,000,000원)

(2) 재조달원가 소계 : 17,107,500,000원(평균단가 : 1,040,000원/㎡)

2. 직접법에 의한 합리성 검토

(1) 처리방침

시공사 적정이윤(수급자이윤) 반영함. 건축과 무관한 철거비, 미술품장식비, 광고비 등은 제외함.

(2) 재조달원가

10,000,000,000 × (1 − 0.005 − 0.02 − 0.02) × 1.15 × 1.15964*

≒ 12,735,746,000원(778,000원/㎡)

*시점수정치 ($\frac{2025.06}{2014.06}$, 생산자물가지수) : $\frac{118.26}{101.98}$

3. 재조달원가 결정

객관성 있는 간접법을 기준하여 결정함. 직접법에 의한 공사비는 계열사 간의 거래, 비건물항목 사정개입, 시점격차 등으로 차이가 발생한 것으로 판단됨(1,040,000원/㎡).

Ⅲ. 건물의 평가액

1. 주차장

521,000 × 39/50 ≒ 406,000원/㎡(1,096,200,000원)

2. 근린생활시설

706,000 × 39/50 ≒ 550,000원/㎡(962,500,000원)

3. 업무시설

906,000 × 39/50 ≒ 706,000원/㎡(1,800,300,000원)

4. 주거용 오피스텔(관찰감가 병용)

1,300,000 × 42/50 ≒ 1,090,000원/㎡(10,191,500,000원)

5. 건물의 평가액

14,050,500,000원

ANSWER 32 10점

PART 02

Ⅰ. 평가개요

본건은 업무시설에 대한 감정평가로서, 토지, 건물을 일괄로 거래사례비교법에 의한다(기준시점 : 2025년 7월 10일).

Ⅱ. 거래사례의 선택

업무시설로서 건물의 사용승인일, 품등조건 등 가치형성요인이 유사한 거래사례 2를 선정한다(거래사례 1 : 사용승인일, 품등조건 차이).

Ⅲ. 거래사례의 현금등가

$$[121,500,000,000 \times (0.2 + 0.8 \times \frac{0.05 \times 1.05^{10}}{1.05^{10} - 1} \times \frac{1.06^{10} - 1}{0.06 \times 1.06^{10}})] \div 13,500 \fallingdotseq$$

@8,662,788

Ⅳ. 시점수정치(2024.11.15.~2025.07.10. 자본수익률)

$(1 + 0.0068 \times 47/92) \times 1.0060 \times 1.0065 \times (1 + 0.0065 \times 10/91) \fallingdotseq 1.01678$

Ⅴ. 가치형성요인 비교치

$0.6 \times 100/90 + 0.4 \times 100/105 \fallingdotseq 1.048$

Ⅵ. 비준가액

@8,662,788 × 1.000(사정) × 1.01678 × 1.048 ≒ @9,230,000
(×13,000 = 119,990,000,000원)

ANSWER 33 10점

Ⅰ. 평가개요

본건은 복합부동산에 대한 일괄평가로 기준시점은 2025년 11월 1일이다.

Ⅱ. 사례토지, 건물가격 구성비율

1. 사례건물가격

$600,000 \times \frac{45}{50} ≒ 540,000$원/㎡(475,200,000원)

2. 토지, 건물가격 구성비

(1) 토지가격 구성비

$\frac{2,400,000,000 - 475,200,000}{2,400,000,000} ≒ 0.802(80.2\%)$

(2) 건물가격 구성비

$1 - 0.802 ≒ 0.198(19.8\%)$

Ⅲ. 시점수정치(2024.9.30.~2025.11.1.)

$1.02651 \times (1 + 0.00521 \times \frac{32}{30}) ≒ 1.03221$

Ⅳ. 가치형성요인 비교치

1. 토지요인 비교치

$\frac{100}{109} \times \frac{100}{100} ≒ 0.917$

2. 건물요인 비교치

$\frac{100}{95} ≒ 1.053$

3. 가치형성요인 비교치

$(0.802 \times 0.917) + (0.198 \times 1.053) ≒ 0.944$

Ⅴ. 토지, 건물 일괄 비준가액

$2,730,000 \times 1.000 \times 1.03221 \times 0.944 ≒ 2,660,000$원/㎡(2,425,920,000원)

ANSWER 34 20점

(물음 1)

Ⅰ. 평가개요

본건은 물류창고에 대한 시가참조목적의 감정평가로서 기준시점은 2025년 7월 15일 이다.

Ⅱ. 거래사례의 선택

물류창고로서의 입지, 창고유형 등 가치형성요인이 유사한 거래사례 1을 선택한다.
(거래단가 : 28,000,000,000 ÷ 28,000 = @1,000,000)
(거래사례 2 : 시적인 격차, 거래사례 3 : 창고유형의 상이)

Ⅲ. 시점수정치(2024.5.1.~2025.7.15.)

1. 토지의 시점수정치(계획관리지역 지가변동률) : 1.03457

2. 건물의 시점수정치(생산자물가지수)

$$\frac{2025.06}{2024.04} = \frac{114.93}{113.29} \fallingdotseq 1.01448$$

3. 시점수정치 결정 : 0.6 × 1.03457 + 0.4 × 1.01448 ≒ 1.02653

Ⅳ. 개별요인 비교치

0.6 × 100/95 + 0.4 × 100/90 ≒ 1.076

Ⅴ. 비준가액

1,000,000 × 1.00(사정) × 1.02653 × 1.076 ≒ 1,100,000원/㎡(×20,000 = 22,000,000,000원)

(물음 2)

Ⅰ. 평가개요

본건은 물류창고에 대한 시가참조목적의 감정평가로서 기준시점은 2025년 7월 15일이다.

Ⅱ. 거래사례의 선택 : 물음 1과 동일

Ⅲ. 시점수정치(2024.5.1.~2025.7.15.)

토지・건물 일체의 시점수정자료인 자본수익률을 기준한다.

$(1 + 0.0053 \times \frac{61}{91}) \times 1.0048 \times 1.0047 \times 1.0057 \times (1 + 0.0057 \times \frac{106}{91})$

≒ 1.02565

Ⅳ. 개별요인 비교치

0.6 × 100/93 + 0.1 × 100/100 + 0.2 × 100/95 + 0.1 × 100/95 ≒ 1.061

Ⅴ. 비준가액

1,000,000 × 1.00(사정) × 1.02565 × 1.061 ≒ 1,090,000원/㎡(×20,000 = 21,800,000,000원)

ANSWER 35
30점

Ⅰ. 평가개요

1. 본건은 경기도 이천시 소재 물류창고의 담보 감정평가로서 2025년 1월 23일을 기준시점으로 평가한다.
2. 「감정평가에 관한 규칙」 제16조에 의하여 일괄거래사례비교법으로 평가함.

Ⅱ. 거래사례의 선정

1. 선정기준

물류창고로서의 가치형성요인을 고려하며, 창고의 종류, 공법상 제한, 창고의 규모 및 그 밖의 거래정황 등을 고려하여 선택한다.

2. 사례선택

(1) 선택사례

상온창고, 계획관리지역으로서 가치형성요인 유사한 사례 1을 선택함.

(2) 제외사유

#2, 4 : 물류창고로서의 규모의 차이
#3 : Cap rate으로 보건대 사정개입이 가능함.
#5 : 공법상 제한
#6 : 창고유형의 차이

Ⅲ. 요인비교치

1. 시점수정

복합부동산의 가격변동으로서 합리적인 생산자물가지수(부동산지수)를 사용한다(지변률은 토지만의 가격변동이며, 자본수익률은 위치적, 이용상황별 차이가 있음).
2025.01.23./2023.06.19. = 2024년 12월 지수/2023년 6월 지수 = 108.76 ÷ 106.26 ≒ 1.02353

2. 지역요인 비교치 *

본건은 감곡IC, 사례는 서이천, 덕평IC 인근으로서 가격격차를 비교함.

$$\frac{(1{,}000{,}000 + 1{,}100{,}000) \div 2}{(1{,}100{,}000 + 1{,}200{,}000) \div 2} \fallingdotseq 0.913$$

*지역요인 비교자료가 토지・건물 포함가격으로 제시되어 토지요인과 별도로 지역요인을 비교함.

3. 개별요인 비교치

(1) 토지요인 비교치

100/105(도로) × 96/100(접근)* × 1.00 × 1.00 × 1.00 ≒ 0.914

*IC와의 거리

(2) 건물요인 비교치

1.00 × 0.885* × 110/100(기타) ≒ 0.973

*잔가율 비교(본건/거래사례) : $\frac{1-0.9\times 6/40}{1-0.9\times 1/40}$

(3) 개별요인 비교치

0.3 × 0.914 + 0.7 × 0.973 ≒ 0.955

Ⅳ. 비준가액 결정

@1,064,190 × 1.000(사정) × 1.02353 × 0.913 × 0.955 ≒ @950,000

(× 23,148.25㎡ ≒ 22,000,000,000원)

ANSWER 36
10점

1. 가능총수익

(1) 처리방침 : 표준적인 임대차를 기준으로 산정한다.

(2) 보증금운용익 : 1,000,000,000 × 0.02(정기예금이자율) = 20,000,000원

(3) 임대료 : 17,000,000 × 12개월 = 204,000,000원

(4) 관리비수입 : 3,000 × 2,500 × 12개월 = 90,000,000원

(5) 기타수입(주차장 수입, 무료주차 10대) : 100,000 × 20대 × 12개월
= 24,000,000원

(6) 가능총수입 : 338,000,000원

2. 유효총수익

표준적인 공실률을 반영한다(5.0%).
338,000,000 × 0.95 = 321,100,000원

3. 순수익

(1) 운영경비
90,000,000 × 0.95 × 0.70 = 59,850,000원

(2) 순수익
321,100,000 − 59,850,000 = 261,250,000원

4. 환원이율 결정

(1) 거래사례기준

1) 사례 선택 : 2종일반주거지역의 상업용으로서 본건과 개별적인 유사성이 뛰어난 거래사례 A를 선택한다.

2) 사례의 환원이율 : 300,000,000 ÷ 7,000,000,000 ≒ 4.29%

(2) 소득수익률 기준 : 1.0124 × 1.0105 × 1.0084 × 1.0114 − 1 ≒ 4.34%

(3) 결정 : 상기율을 고려하여 4.3%로 결정한다.

5. 수익가액 결정

261,250,000 ÷ 0.043 ≒ 6,076,000,000원

ANSWER
37
15점

Ⅰ. 순수익 산정

1. 처리방침

현재 임대차는 사정이 개입되어 있는바, 표준적인 임대차 내역을 기준으로 평가한다.

2. 순수익상정

관리비는 실비처리되므로 포함하지 않음.

(50,000,000 × 0.03 + 4,000,000 × 12월) × (1 − 0.05)(공실률) × (1 − 0.3)(경비율) ≒ 32,918,000

Ⅱ. 환원이율 산정

1. 시장추출법

(1) 사례 선택 : 본건과 건물의 유형, 이용상황이 유사한 거래사례 1, 5를 선정한다(거래사례 2, 3 : 토지, 건물의 유형, 거래사례 4 : 이용상황 상이).

(2) 시장추출률(순수익 ÷ 거래가격)

1) 사례 # 1 : 30,000,000 ÷ 600,000,000 = 5.0%

2) 사례 # 5 : 24,000,000 ÷ 500,000,000 = 4.8%

3) 평균 : 4.9%

2. 금융적투자결합법

0.4 × 7.0% + 0.6 × 5.0% ≒ 5.8%

3. 저당지분환원법(엘우드법)

$$0.08 - 0.6 \times \left(0.08 + \frac{1.05^5 - 1}{1.05^{20} - 1} \times \frac{0.08}{1.08^5 - 1} - \frac{0.05 \times 1.05^{20}}{1.05^{20} - 1}\right) - 0.1 \times \frac{0.08}{1.08^5 - 1}$$

≒ 4.6%

4. 부채감당법(DCR법)

$$0.6 \times 1.3 \times \frac{0.05 \times 1.05^{20}}{1.05^{20} - 1} \fallingdotseq 6.3\%$$

5. 환원이율 결정 : 상기 환원이율을 평균하여 5.4%로 결정한다.

Ⅲ. 수익가액 산정

32,918,000 ÷ 0.054 ≒ 610,000,000원

Ⅰ. 평가개요

본건은 업무용 부동산의 일반거래목적의 감정평가로서 직접환원법에 의하여 평가하되, 기준시점은 2025년 8월 31일이다.

Ⅱ. (물음 1) 종합환원이율 결정

1. 시장추출법

(1) **사례선정** : 대상과 같은 업무용 부동산으로 건물의 규모, 잔존연수 등을 고려하여 거래사례 1, 4를 선정함.

(2) **사례의 시장추출률**

① 거래사례 1 기준 : $\frac{1,095,000,000}{10,000,000,000} \fallingdotseq 0.1095$

② 거래사례 4 기준 : $\frac{1,333,200,000}{12,000,000,000} \fallingdotseq 0.1111$

(3) **환원이율 결정** : $\frac{0.1095+0.1111}{2} \fallingdotseq 0.1103$

2. 요소구성법

$0.03 + (0.03 + 0.035 + 0.012 + 0.008) = 0.1150$

3. 투자결합법

(1) **산식** : $R = E/V \times R_E + L/V \times MC$(*Kazdin* 방식)

(2) **환원이율** : 0.4(업무용 기준) × 0.10 + 0.6 × $\frac{0.05 \times 1.05^{10}}{1.05^{10}-1} \fallingdotseq 0.1177$

4. 환원이율 결정

「감정평가실무기준」상 시장추출법이 원칙이며, 그 밖의 방법으로서 그 합리성이 인정되므로 시장추출법 기준으로 11%로 결정함.

Ⅲ. (물음 2) 수익가액 결정

1. 대상부동산 순수익

(1) **가능총수익** : (200,000 × 0.05 + 20,000 × 12월 + 4,000 × 12월) × 4,000㎡ ≒ 1,192,000,000원

(2) **유효총수익** : 1,192,000,000 × (1 − 0.03) ≒ 1,156,240,000원

(3) **순수익** : 1,156,240,000 − (4,000 × 12월 × 4,000㎡ × 0.97 × 0.7) ≒ 1,025,872,000원

2. 대상부동산의 수익가액 : 1,025,872,000 ÷ 0.11 ≒ 9,326,000,000원

ANSWER
39
20점

Ⅰ. 평가개요

직접환원법에 의한 수익가액의 산정건이다.

Ⅱ. 순수익의 산정

1. 가능총수입 산정

(1) 처리방침

지하 1층, 지상 1층은 현재의 임대차 현황을 기준하며, 지상 2층은 사정개입, 지상 3층은 공실상태임을 고려하여 인근의 표준적 임대차 현황을 기준으로 한다.
지상 2층은 임대사례 1을 기준하되, 지상 3층은 임대사례 2를 기준한다.

(2) 지하 1층, 지상 1층의 가능총수입

(50,000,000 + 80,000,000) × 0.02 + (1,500,000 + 4,000,000 + 500,000 + 400,000) × 12 = 79,400,000원

(3) 지상 2층, 지상 3층의 가능총수입

200,000 × 150 + 75,000 × 300 × 100/90 = 55,000,000원

(4) 가능총수입 : 134,400,000원

2. 순수익 산정

134,400,000 × (1 − 0.05) × (1 − 0.2) = 102,144,000원

Ⅲ. 환원이율의 결정

1. 통계자료 기준(소득수익률)

(1.0117 × 1.0106 × 1.0074 × 1.0109) − 1 ≒ 4.12%

2. 물리적 투자결합법

$$0.7 \times 0.035 + 0.3 \times (0.05 + \frac{1}{50}) \fallingdotseq 4.55\%$$

3. 엘우드법(저당지분환원법)

$$0.07 - 0.5 \times (0.07 - 0.04) - 0.08 \times \frac{0.07}{1.07^5 - 1} \fallingdotseq 4.11\%$$

4. 시장추출법

$$\frac{150,000,000}{3,500,000,000} \fallingdotseq 4.29\%$$

5. 결정

감정평가실무기준에 의하여 시장추출법 기준 4.3%로 결정하되, 다른 방법에 의한 환원이율에 의하여 그 적정성이 인정되는 것으로 판단된다.

Ⅳ. 수익가액 결정

$$\frac{102,144,000}{0.043} \fallingdotseq 2,375,000,000\text{원}$$

Ⅰ. 평가개요

본건은 업무용 부동산에 대한 수익환원법에 의한 감정평가로서 직접환원법에 의하며 기준시점은 2025년 6월 30일이다.

Ⅱ. 순영업소득의 결정

1. 가능총수입

(1) 처리방침

본건의 임대차내역은 모두 종료되는바, 임대사례를 통한 표준적 임대료를 기준으로 한다.

(2) 가능총수입

(160,000 + 120,000 + 100,000 + 100,000) × 100/110 × 520 + 90,000 × 100/110 × 400 = 259,636,000원

2. 순영업소득

(1) 유효총수입 : 259,636,000 × (1 − 0.05) ≒ 246,654,000원

(2) 운영경비 : 25,000 × 2,480(임대면적) = 62,000,000원

(3) 순영업소득 : 246,654,000 − 62,000,000 = 184,654,000원

Ⅲ. 환원이율결정(시장추출법)

1. 사례선택

사례 1, 2를 선택하며, 사례 3은 사정개입으로 배제한다.

2. 시장추출률

(1) 사례 #1 : 4.0%(140/3,500)

(2) 사례 #2 : 4.0%(88/2,200)

(3) 결정 : 상기 산출된 환원이율 기준 4.0%로 결정한다.

Ⅳ. 수익가액 결정

184,654,000 ÷ 0.04 ≒ 4,616,000,000원

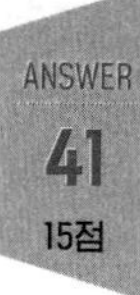

1. 해당 건물의 1기 순수익

(1) 유효총수익

1) 보증금운용익 : 20,000 × 13,500 × 10배 × 0.02 = 54,000,000원

2) 연간임대료 : 20,000 × 13,500 × 12개월 = 3,240,000,000원

3) 연간관리비 : 10,000 × 13,500 × 12개월 = 1,620,000,000원

4) 가능총수익 : 4,914,000,000원

5) 유효총수익 : 4,914,000,000 × (1 − 0.05(표준적 공실률)) = 4,668,300,000원

(2) 영업경비

10,000 × 13,500 × (1 − 0.05) × 12개월 × 0.7 = 1,077,300,000원

(3) 순수익

4,668,300,000 − 1,077,300,000 = 3,591,000,000원

2. 매기 순수익(단위 : 천원)

1	2	3	4	5
3,591,000	3,698,730	3,809,692	3,923,983	4,041,702

∴ 현가합(할인율 : 6.0%) : 16,006,640,000원

3. 기말복귀가치 현가

(1) 재매도가치 : 4,041,702,000 × 1.03 ÷ 0.07 ≒ 59,470,760,000

(2) 기말복귀가치 : 59,470,760,000 × (1 − 0.02) ≒ 58,281,345,000

(3) 기말복귀가치 현가 : $58,281,345,000 \times \frac{1}{1.06^5}$ ≒ 43,551,211,000원

4. 감정평가액

16,006,640,000 + 43,551,211,000 = 59,557,851,000원

ANSWER 42 15점

Ⅰ. 평가개요

업무용 복합부동산에 대한 할인현금수지분석법에 의한 수익가액을 평가한다.

Ⅱ. 1차연도 순수익

1. 가능총수입

(60,000 × 0.02 + 6,000 × 12 + 2,000 × 12) × 8,000 = 777,600,000원

2. 유효총수입

777,600,000 × (1 − 0.05) = 738,720,000원

3. 순수익

738,720,000 − 2,000 × 12월 × 8,000 × 0.95 × 0.8 = 592,800,000원

Ⅲ. 적용률에 대한 판단

1. 할인율

투자수익률을 기준한다. (1.0159 × 1.0154 × 1.0133 × 1.0148) − 1 ≒ 6.0%

2. 기출환원이율

소득수익률을 기준하되, 위험가산율을 고려한다.

(1.0106 × 1.0103 × 1.0084 × 1.0102) − 1 + 0.015 = 5.5%

3. 임대료상승률

가격변동률과 대등한바, 자본수익률을 기준으로 한다.

(1.0053 × 1.0051 × 1.0049 × 1.0046) − 1 ≒ 2.0%

Ⅳ. 수익가액의 결정

1. 보유기간 중 순수익의 현가합(단위 : 천원)

구분	1	2	3	4	5
순수익	592,800	604,656	616,749	629,084	641,666

*현가합(할인율 : 6.0%) ≒ 2,593,005,000원

2. 기말복귀가치의 현가

$$\frac{641,666,000 \times 1.02}{0.055} \times (1-0.02) \times \frac{1}{1.06^5} \fallingdotseq 8,714,516,000\text{원}$$

3. 수익가액

2,593,005,000 + 8,714,516,000 ≒ 11,308,000,000원

ANSWER 43 30점

Ⅰ. 평가개요

본건은 복합부동산에 대한 현물출자 목적 감정평가로서 2025년 6월 11일을 기준시점으로 평가함.

Ⅱ. 개별평가방법

1. 토지의 감정평가액

(1) 공시지가기준법

1) 비교표준지 선정

일반상업, 업무용, 주변환경이 유사하고 지리적으로 근접한 표준지 B를 선정함.

2) 시점수정치(2025.1.1.~2025.6.11. S구 상업지역)

$1.00851 \times (1 + 0.00159 \times \frac{42}{30}) \fallingdotseq 1.01075$

3) 지역요인 비교치

인근지역으로서 대등함. 1.000

4) 개별요인 비교치

$1.00 \times 1.00 \times 1.00 \times 1.00 \times 1.00 \times 1.00 \fallingdotseq 1.000$

5) 그 밖의 요인보정치

① 평가선례 선정 : 일반상업지역, 상업용(업무)으로서 평가목적이 유사하고 최근 평가선례인 선례 5를 선정함.

② 시점수정치(2025.1.1.~2025.6.11. S구 상업지역) : 1.01075

③ 지역요인 비교치 : 인근지역으로서 대등함. 1.000

④ 개별요인 비교치 : $0.95 \times 1.10 \times 1.00 \times 1.00 \times 1.00 \times 1.00 \fallingdotseq 1.045$

⑤ 격차율 산정 : $\frac{29,800,000 \times 1.01075 \times 1.000 \times 1.045}{23,000,000 \times 1.01075} \fallingdotseq 1.353$

상기와 같이 산정된 바, 1.35로 결정함.

6) 공시지가기준가액

$23,000,000 \times 1.01075 \times 1.000 \times 1.000 \times 1.35 \fallingdotseq 31,400,000$원/㎡

(2) 거래사례비교법

1) 사례선정

일반상업지역, 상업용으로서 주변환경 유사한 등으로 거래사례 C를 선정함.

2) 시점수정치(2025.1.1.~2025.6.11. S구 상업지역) : 1.01075

3) 지역요인 비교치

인근지역으로서 대등함. 1.000

4) 개별요인 비교치 : 0.900

5) 비준가액

35,800,000 × 1.000 × 1.01075 × 1.000 × 0.900 ≒ 32,600,000원/㎡

(3) 토지 감정평가액 결정

공시지가기준가액과 비준가액이 유사한 등 공시지가기준법 합리성이 인정되어 「감정평가에 관한 규칙」 제14조에 기준하여 공시지가기준법을 기준함.

31,400,000 × 665.4 ≒ 20,893,560,000원

(평가목적 등 고려하여 본건의 평가선례와의 균형이 유지된다.)

2. 건물의 감정평가액

(1) 사무실 등

$(1,450,000 + 100,000) \times \frac{44}{55}$ ≒ 1,240,000원/㎡(5,452,676,800원)

(2) 지하층(기계실 등)

$(850,000 + 50,000) \times \frac{44}{55}$ ≒ 720,000원/㎡(503,236,800원)

(3) 건물의 평가액 : 5,955,913,600원

3. 개별평가액 합계

20,893,560,000 + 5,955,913,600 ≒ 26,849,473,600원

Ⅲ. 일괄거래사례비교법

1. 사례선정

일반상업지역, 업무용으로서 본건과 규모, 경과 여부, 용적률 등 유사성이 있는 거래사례 나를 선정함(4,890,000원/㎡).

2. 시점수정치(2024.12.30.~2025.6.11. 서울 S구 업무용 자본수익률)

$(1 + 0.00550 \times \frac{2}{92}) \times 1.00510 \times (1 + 0.00510 \times \frac{72}{91})$ ≒ 1.00928

3. 가치형성요인 비교치

1.05 × 1.03 × 1.00 ≒ 1.082

4. 비준가액

4,890,000 × 1.000 × 1.00928 × 1.082 ≒ 5,340,000원/㎡(27,214,000,000원)

Ⅳ. 일괄수익환원법

1. 1기 순수익

(1) 가능총수익

28,000 × 10 × 0.04 + 28,000 × 12月 + 8,000 × 12 ≒ 443,000원/㎡
(× 5,096.26 ≒ 2,257,643,000원)

(2) 유효총수익

2,257,643,000 × (1 − 0.05) ≒ 2,144,761,000원

(3) 1기 순수익

2,144,761,000 − (8,000 × 12月 × 5,096.26 × 0.95) × 0.8
≒ 1,772,938,000원

2. 기말복귀가치

$$\frac{1,772,938,000 \times 1.01^5 (6\text{기} NOI)}{0.07} \times (1-0.02) \fallingdotseq 26,087,259,000\text{원}$$

3. 수익가액(할인율 6%)

$$1,772,938,000 \times \frac{1-(\frac{1.01}{1.06})^5}{0.06-0.01} + \frac{26,087,259,000}{1.06^5} \fallingdotseq 27,104,000,000\text{원}$$

Ⅴ. 감정평가액 결정

「감정평가에 관한 규칙」 제7조에 의거 개별평가 원칙이며, 일괄거래사례비교법 및 수익환원법에 의하여 합리성이 인정됨.

ANSWER 44 20점

Ⅰ. 평가개요

본건은 서울시 관악구 봉천동에 소재하는 근린상가에 대한 시가참조용 감정평가로서 2025년 7월 12일을 기준시점으로 할인현금수지분석법(DCF)을 이용하여 평가함.

Ⅱ. 순수익

1. 처리방침

본건의 경우 현재 공실 및 사정이 개입된 임대료로 판단되는 바, 객관적인 임대사례를 기준으로 수익을 비교하여 결정함.

2. 본건 1층의 임대료 결정

(1) 사례선정 : 본건과 같은 상업용으로서 동일 노선에 소재하는 임대사례를 선정함.

(2) 사례의 실질임대료 : 500,000,000 × 0.04 + 22,000,000 × 12월
= 284,000,000원(÷350 ≒ 811,000원/㎡)

(3) 본건 1층의 임대료 결정 : 811,000 × 1.000 × 1.00332* × 1.000 × 0.952**
≒ 775,000원/㎡

*2024.8.31.~2025.7.12. 생산자물가지수(임대료) : 105.63 ÷ 105.28 ≒ 1.00332
**가치형성요인 비교치 : 100/100 × 100/105 ≒ 0.952

3. 본건 전체의 총수익

$$775{,}000 \times \frac{35+100+40+30+25}{100} \times 495.87\text{㎡} \fallingdotseq 883{,}888{,}000\text{원}$$

4. 순수익 : 883,888,000 × (1 − 0.05) × (1 − 0.1) ≒ 755,724,000원

Ⅲ. 할인현금수지분석법에 의한 수익가액

1. 매기 순수익 현가합 : 순수익은 임대료 상승률에 연동된다.

$$755{,}724{,}000 \times \frac{1-\left(\frac{1.02}{1.06}\right)^5}{0.06-0.02} \fallingdotseq 3{,}305{,}661{,}000\text{원}$$

2. 기말복귀가치

(1) 매각연도 기준 초년의 순수익(6기 순수익) : 755,724,000 × 1.02^5 ≒ 834,380,000원

(2) 재매도가치 : 834,380,000 ÷ 0.07 ≒ 11,919,714,000원

(3) 기말복귀가치 : 11,919,714,000 × (1 − 0.01) ≒ 11,800,517,000원

3. 할인현금수지분석법에 의한 수익가액

$$3{,}305{,}661{,}000 + \frac{11{,}800{,}517{,}000}{1.06^5} \fallingdotseq 12{,}124{,}000{,}000\text{원}$$

ANSWER 45 10점

1. 본 물건의 상각전 순수익

(1) 가능총수익 : 100,000,000 × 0.03 + 9,000,000 × 12월 = 111,000,000원

(2) 유효총수익 : 111,000,000 × (1 − 0.05) = 105,450,000원

(3) 운영경비 : 1,500,000 × 12월 + 5,000,000 + 9,000,000 × 0.1 × 12월
= 33,800,000원

(4) 상각전 순수익 : 105,450,000 − 33,800,000 = 71,650,000원

2. 토지의 귀속순수익

(1) 건물의 평가액

1) 근린생활시설 부분 : 900,000 × 38/50 = 684,000원/㎡
(× 500 = 342,000,000원)

2) 주거용 부분 : 1,200,000 × 38/50 = 912,000원/㎡(× 200 = 182,400,000원)

3) 건물의 평가액 : 524,400,000원

(2) 건물귀속 상각전 순수익
524,400,000 × (0.065 + 1/50) = 44,574,000원

(3) 토지귀속순수익 : 71,650,000 − 44,574,000 = 27,076,000원

3. 토지의 수익가액

27,076,000 ÷ 0.05 = 541,520,000원(약 2,710,000원/㎡)

ANSWER 46 20점

Ⅰ. 평가개요

본건은 자산재평가(토지) 목적 감정평가로서 2025년 8월 31일을 기준시점으로 토지 잔여법에 의함.

Ⅱ. 복합부동산의 상각후 순수익

1. 총수익 산정

(1) 본건의 임대내역기준(직접법)

$120,000,000 \times 12月 + 10,000,000 + 300,000,000 \times \frac{0.1 \times 1.1^{10}}{1.1^{10} - 1} + 1,000,000$

$\times$ 12月 ≒1,510,824,000원(795,000원/㎡)

(2) 임대사례기준(간접법)

1) 사례의 총수익(일반상업지역, 업무용 등 제시된 임대사례를 적용함)

1,400,000,000 + 1,400,000,000 × 0.1 ≒ 1,540,000,000원(700,000원/㎡)

2) 본건 수익기준

700,000 × 1.000 × 1.02392* × 1.000 × (100/97 × 98/97) ≒ 747,000원/㎡

*시점수정치($\frac{2025.07}{2024.03}$, 생산자물가지수(임대료)) : $\frac{107.00}{104.50}$

(3) 총수익 결정

본건 임대료가 표준적 수준인바 본건 임대료 기준함.

∴ 795,000원/㎡(1,510,500,000원)

2. 유효총수익

1,510,500,000 × (1 − 0.02) ≒ 1,480,290,000원

3. 영업경비(감가상각비 포함)

(1) 제외항목(부동산 운영과 무관한 항목은 제외)

부가물 설치비, 종합부동산세, 취득세, 등기세, 양도소득세, 자기자금이자, 소득세, 동산세금, 법인세

(2) 감가상각비

3,150,000,000 × 1/45 ≒ 70,000,000원

(3) 보험료

$50,000,000 \times (1 - 0.1 \times \frac{1.05^5 - 1}{0.05} \times \frac{0.1}{1.1^5 - 1})$ ≒ 45,475,000원

(4) 영업경비

70,000,000(감가) + 400,000,000 + 10,000,000 + 50,000,000 + 45,475,000 (보험) + 7,000,000 ≒ 582,475,000원

4. 상각 후 순수익

1,480,290,000 − 582,475,000 ≒ 897,815,000원

Ⅲ. 토지의 평가액(토지잔여법)

1. 토지귀속 순수익

(1) 건물의 상각 후 순수익

3,150,000,000 × 0.13(상각 후 환원이율) ≒ 409,500,000원

(2) 토지귀속 순수익

897,815,000 − 409,500,000 ≒ 488,315,000원

2. 토지수익가액

$\frac{488,315,000}{0.12}$ ≒ 4,069,292,000원(3,390,000원/㎡)

ANSWER 47 10점

Ⅰ. 평가개요

본건은 토지평가로 2025년 6월 8일을 기준하며, 본건의 임대상황을 기초로 하여 평가함.

Ⅱ. 수익환원법

1. NOI 산정

(1) PGI

500,000,000 × 0.04 + 10,000,000 × 12 + 600,000 × 12 = 147,200,000원

(2) EGI

147,200,000 × (1 － 0.05) = 139,840,000원

(3) NOI

139,840,000 × (1 － 0.1) = 125,856,000원

2. 건물귀속 순수익

(1) 대상건물 적산가액

$$[(450{,}000 \times 0.7) \times 200\text{m}^2 + 450{,}000 \times 900\text{m}^2 + 500{,}000 \times 600\text{m}^2] \times \frac{41}{50}$$

≒ 629,760,000원

(2) 건물귀속 순수익

629,760,000 × 0.07 = 44,083,000

3. 토지귀속 순수익

125,856,000 － 44,083,000 = 81,773,000(204,000원/㎡)

4. 대상토지 수익가액

$\frac{204{,}000}{0.10}$ ≒ 2,040,000원/㎡(816,000,000원)

ANSWER 48 15점

Ⅰ. 평가개요

본건은 S시 K구 S동 소재 복합부동산 중 토지만의 자산재평가 목적의 감정평가로서 2025년 1월 1일을 기준시점으로 토지잔여법에 의하여 평가함.

Ⅱ. 대상부동산 전체 상각 후 순수익

1. 가능총수익

(1) 지급임대료 : 1,500,000 × (1 + 0.05/12) × 12월 = 18,075,000원

(2) 보증금운용이익 : 1,500,000 × 12월 × 0.03 = 540,000원

(3) 권리금 상각액 및 미상각액 운용익 : $1{,}500{,}000 \times 12월 \times \frac{0.05 \times 1.05^3}{1.05^3 - 1} ≒ 6{,}610{,}000원$

(4) 총수익 : 18,075,000 + 540,000 + 6,610,000 = 25,225,000원

2. 유효총수익

25,225,000 × (1 － 0.05) ≒ 23,964,000원

3. 운영경비(감가상각비 포함)

(1) 화재보험료 : $1{,}000{,}000 \times \frac{0.05 \times 1.05^3}{1.05^3 - 1} - (1{,}000{,}000 \times 0.3) \times \frac{0.05}{1.05^3 - 1} ≒ 272{,}000원$

(2) 감가상각비 : 30,000 × 6,000㎡ × 1/50 ≒ 3,600,000원

(3) 운영경비 : 272,000 + 3,600,000 + 1,000,000 + 1,000,000 × 0.5 ≒ 5,372,000원

4. 상각 후 순수익

23,964,000 － 5,372,000 = 18,592,000원

Ⅲ. 토지의 수익가액(토지잔여법)

1. 상각 후 건물귀속 순수익

(1) 건물 감정평가액 : 30,000 × 6,000㎡ × 44/50 ≒ 158,400,000원

(2) 건물귀속 상각 후 순수익 : 158,400,000 × 0.09(R_B) ≒ 14,256,000원

2. 토지귀속 순수익

18,592,000 － 14,256,000 ≒ 4,336,000원

3. 토지의 수익가액

4,336,000 ÷ 0.07(R_L) ≒ 61,943,000원(48,000원/㎡)

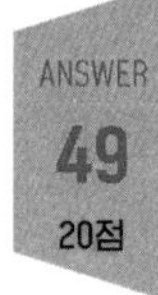

Ⅰ. 평가개요

나대지에 대하여 토지잔여법에 의한 수익가액을 결정한다.

Ⅱ. 상각전 순수익의 결정

1. 총수익

(1) 1, 2층 부분

100,000,000 × 0.02 + (60,000,000 × 0.15 + @5,000 × 800㎡) × 12월
= 158,000,000원

(2) 3, 4층 부분

[(@10,000 × 400 × 10 × 0.02) + (@10,000 × 400 + @5,000 × 400) × 12월] × 2개층 = 145,600,000원

(3) 예상총수입 : 303,600,000원

2. 공실 및 손실상당액

303,600,000 × 0.05 = 15,180,000원

3. 운영경비

(1) 제외항목

인적부담 성격의 과세인 종합부동산세, 종합소득세는 제외하며, 건물의 운영과 관계 없는 차입이자는 경비에서 제외한다.

(2) 운영경비(감가상각비는 제외함)

(@500 × 1,600㎡ × 12월) + (2,500,000 × 12월) + 30,000,000 + 3,000,000 = 72,600,000원

4. 상각전 순수익

303,600,000 − 15,180,000 − 72,600,000 = 215,820,000원

Ⅲ. 토지귀속 순수익의 산정

1. 건물귀속 상각전 순수익

@1,200,000 × 1,600 × 0.06 = 115,200,000

2. 토지귀속 순수익

215,820,000 − 115,200,000 = 100,620,000원

Ⅳ. 토지의 수익가액

$\frac{100,620,000}{0.04}$ = 2,515,500,000(÷1,000㎡ = 2,515,500원/㎡)

ANSWER 50 25점

PART 02

Ⅰ. 평가개요

본건은 토지의 감정평가로 기준시점은 2025년 6월 1일임.

Ⅱ. 공시지가기준법

1. 비교표준지 선정

일반상업, 상업용 등 제시된 표준지 1을 선정함.

2. 시점수정(2025.1.1.~2025.6.1. 상업지역)

$$1.09494 \times (1 + 0.02300 \times \frac{1}{31}) \fallingdotseq 1.09575$$

3. 지역요인 비교치

인근지역으로서 대등함. 1.000

4. 개별요인 비교치

$$\frac{100}{102} \fallingdotseq 0.980$$

5. 공시지가기준가액

520,000 × 1.09575 × 1.000 × 0.980 × 1.10 ≒ 614,000원/㎡

Ⅲ. 거래사례비교법

1. 사례선정

일반상업, 업무용으로서 사정이 개입되지 않으며 배분법 적용이 가능한 사례 2를 선정

2. 사례토지가격

$$[300,000,000 - \{110,000 \times 1.10345^{*} \times (1 - 0.9 \times \frac{4}{50})\} \times 720] \div 350 \fallingdotseq @625,426$$

* 시점수정 $(\frac{2025.4}{2020.4}$, 생산자물가지수) : $\frac{128.00}{116.00}$

3. 시점수정(2025.5.10.~2025.6.1. 상업지역)

$$(1 + 0.02300 \times \frac{22}{31}) \times (1 + 0.02300 \times \frac{1}{31}) \fallingdotseq 1.01708$$

4. 지역요인 비교치(B동/C동)

$$\frac{(550{,}000+670{,}000)\times\frac{1}{2}}{(580{,}000+700{,}000)\times\frac{1}{2}} ≒ 0.953$$

5. 개별요인 비교치

$$\frac{100}{98} ≒ 1.020$$

6. 비준가액

625,426 × 1.000 × 1.01708 × 0.953 × 1.020 ≒ 618,000원/㎡
사 시 지 개

Ⅳ. 수익환원법

1. 처리방침

본건의 개발계획 등 검토하여 수익가액을 산정함.

2. 상각 후 순수익 산정

(1) PGI : 120,000,000 × 0.04 + 4,500,000 × 12 = 58,800,000원

(2) EGI : 58,800,000 × (1 − 0.05) = 55,860,000원

(3) 필요제경비

1) 감가상각비

① 건물가격
180,000 × 680 = 122,400,000원

② 감가상각비
122,400,000 × 0.9 × 1/50 ≒ 2,203,000원

2) 필요제경비 산정
3,800,000 + 3,600,000 + 650,000 + 480,000 + 2,203,000 = 10,733,000원

(4) 상각 후 순수익 : 55,860,000 − 10,733,000 ≒ 45,127,000원

3. 상각 후 건물귀속 순수익

122,400,000 × 0.15 = 18,360,000원

4. 상각 후 토지귀속 순수익

45,127,000 − 18,360,000 ≒ 26,767,000원(84,000원/㎡)

5. 수익가액

84,000 ÷ 0.13 ≒ 646,000원/㎡

Ⅴ. 평가액 결정

공시지가기준가액과 비준가액, 수익가액 간 가액의 유사성이 인정되며, 「감정평가에 관한 규칙」 제14조에 의하여 공시지가기준법에 의하여 614,000원/㎡(196,480,000원)으로 결정함.

ANSWER 51 25점

Ⅰ. 평가개요

본건은 최유효이용에 미달되는 토지의 평가로, 지상에 철거대상의 노후한 건물이 소재하는 토지의 평가로서, 건물을 철거함이 타당하다고 판단되는 바, 나지상태의 토지의 감정평가액에서 철거비를 차감하여 평가함. 기준시점은 2025년 8월 1일임.

Ⅱ. 공시지가기준법

1. 비교표준지 선정

일반상업지역, 상업용 등 본건과 인근지역에 위치하고 있는 표준지 4를 선정함.

2. 시점수정치(2025.1.1.~2025.8.1.)

$$1.05018 \times (1 + 0.01800 \times \frac{32}{30}) ≒ 1.07034$$

3. 지역요인 비교치

인근지역으로서 대등함. 1.000

4. 개별요인 비교치

$$\underset{\text{도}}{0.96} \times \underset{\text{형}}{0.98} \times \underset{\text{지}}{1.10} ≒ 1.035$$

5. 그 밖의 요인보정치

(1) 선례선정

일반상업, 상업용 등 평가선례 1을 선정함.

(2) 시점수정치(2025.6.1.~2025.8.1.)

$$1.01800 \times (1 + 0.01800 \times \frac{32}{30}) ≒ 1.03755$$

(3) 지역요인 비교치

인근지역으로서 대등함. 1.000

(4) 개별요인 비교치

$$\underset{\text{도}}{1.00} \times \underset{\text{형}}{1.10} \times \underset{\text{지}}{0.91} ≒ 1.001$$

(5) 그 밖의 요인보정치

$$\frac{2,610,000 \times 1.03755 \times 1.000 \times 1.001}{2,100,000 \times 1.07034} ≒ 1.205$$

상기와 같이 산정된 바, 1.20으로 결정함.

6. 공시지가기준가액

2,100,000 × 1.07034 × 1.000 × 1.035 × 1.20 ≒ 2,790,000원/㎡

Ⅲ. 거래사례비교법

1. 사례선정

일반상업, 상업용, 지역요인 비교 등이 가능한바, 제시된 사례를 선정함.

2. 사례토지가격(2024.7.1.)

$[2,300,000,000 - \{700,000 \times 0.95015^{*} \times \frac{98}{101} \times (0.6 \times \frac{50}{50} + 0.4 \times \frac{20}{20})$

$\times 1,800\}] \div 450 \fallingdotseq @2,529,713$

*시점수정치 ($\frac{2024.6}{2024.7}$, 생산자물가지수) : $\frac{99.87}{105.11}$

3. 시점수정치(2024.7.1.~2025.8.1.)

$1.03616 \times 1.05018 \times (1 + 0.01800 \times \frac{32}{30}) \fallingdotseq 1.10905$

4. 지역요인 비교치

$\frac{1}{1.05} \fallingdotseq 0.952$

5. 개별요인 비교치

0.96 × 1.00 × 1.10 ≒ 1.056
도 형 지

6. 비준가액

2,529,713 × 1.000 × 1.10905 × 0.952 × 1.056 ≒ 2,820,000원/㎡
사 시 지 개

Ⅳ. 분양개발법

1. 분양가능면적

건축연면적 : 500 × 4 = 2,000 / 분양가능면적 : 2,000 × 0.6
= 1,200(각 층 240)

2. 분양액의 현가

(1) 분양액 총액 : $4,000,000 \times (\frac{100+67+55+52+52}{100}) \times (400 \times 0.6)$

$\fallingdotseq 3,129,600,000$원

(2) 분양액 현가 : $3,129,600,000 \times (0.5 \times \frac{1}{1.005^{6}} + 0.5 \times \frac{1}{1.005^{12}})$

$\fallingdotseq 2,992,560,000$원

3. 개발비용의 현가

(1) 건축공사비

① 총액 : $700,000 \times 1.07307 \times \frac{100}{101} \times 2,000 \fallingdotseq 1,487,424,000$원

시*

* 시점수정치 $(\frac{2025.7}{2024.7})$: $\frac{112.79}{105.11}$

② 현가 : $1,487,424,000 \times (0.4 \times \frac{1}{1.005^{2}} + 0.6 \times \frac{1}{1.005^{10}}) \fallingdotseq 1,438,099,000$원

(2) 판매관리비

① 총액 : $3,129,600,000 \times 0.08 = 250,368,000$

② 현가 : $250,368,000 \times (0.5 \times \frac{1}{1.005^{6}} + 0.5 \times \frac{1}{1.005^{12}}) \fallingdotseq 239,405,000$원

(3) 합계 : $1,438,099,000 + 239,405,000 \fallingdotseq 1,677,504,000$원

4. 개발법에 의한 토지가액

$(2,992,560,000 - 1,677,504,000) \div 500 \fallingdotseq 2,630,000$원/㎡

Ⅴ. 나지 상정 감정평가액 결정

「감정평가에 관한 규칙」 제14조에 의거 공시지가기준가액을 기준하되, 다른 방법에 의하여 그 합리성이 지지되는 것으로 판단된다(2,790,000원/㎡).

(총액 : $2,790,000 \times 500 = 1,395,000,000$원)

따라서 철거 후 토지가치는 $1,395,000,000 - (15,000 \times 120) \fallingdotseq 1,393,200,000$원임.

철거비(건부감가)

ANSWER 52
30점

Ⅰ. 평가개요

본건은 토지에 대한 담보평가로 기준시점은 2025년 1월 15일이다. 본건은 현재 공장으로의 전용이 진행 중인 토지로서 공장용지 조성을 완료하고 건축허가를 득한 상황으로서 공부상 지목에도 불구하고 현황인 공장용지를 기준으로 평가함.

Ⅱ. (물음 1) 공시지가기준법

1. 비교표준지 선정

조성 후를 기준으로 하여 계획관리, 공업용 등 표준지 1을 선정함.

2. 시점수정치(2024.1.1.~2025.1.15. 계획관리지역)

$1.04150 \times (1 + 0.00425 \times 15/31) \fallingdotseq 1.04364$

3. 지역요인 비교치

인근지역으로서 대등함. 1.000

4. 개별요인 비교치

$$\underset{\text{도}}{\frac{100}{100}} \times \underset{\text{지}}{\frac{85}{90}} \times \underset{\text{세}}{\frac{105}{105}} \fallingdotseq 0.944$$

5. 그 밖의 요인보정치(비교표준지 기준)

(1) 선례선정

계획관리, 공업용 등 평가선례 B를 선정함.

(2) 시점수정치(2024.12.1.~2025.1.15. 계획관리지역)

$1.00425 \times (1 + 0.00425 \times 15/31) \fallingdotseq 1.00632$

(3) 지역요인 비교치

인근지역으로서 대등함. 1.000

(4) 개별요인 비교치

$$\underset{\text{도}}{\frac{100}{100}} \times \underset{\text{형}}{\frac{90}{100}} \times \underset{\text{지}}{\frac{105}{100}} \fallingdotseq 0.945$$

(5) 그 밖의 요인보정치

$$\frac{550{,}000 \times 1.00632 \times 1.000 \times 0.945}{400{,}000 \times 1.04364} \fallingdotseq 1.253$$

상기와 같이 산정된 바, 25% 상향보정함(1.25).

6. 공시지가기준가액

400,000 × 1.04364 × 1.000 × 0.944 × 1.25 ≒ 493,000원/㎡

Ⅲ. (물음 2) 거래사례비교법

1. 사례선정

조성 후를 기준하여, 계획관리, 공업용 등 사례 B를 선정함.

2. 사례토지가격 산정

[360,000,000 − (400,000 × 34/40 × 300)] ÷ 520 ≒ @496,154

3. 시점수정치(2024.11.1.~2025.1.15. 계획관리지역)

1.00562 × 1.00425 × (1 + 0.00425 × 15/31) ≒ 1.01197

4. 지역요인 비교치

인근지역으로서 대등함. 1.000

5. 개별요인 비교치

$$\frac{100}{100}\times\frac{85}{85}\times\frac{105}{105} ≒ 1.000$$

도　형　지

6. 비준가액

496,154 × 1.000 × 1.01197 × 1.000 × 1.000 ≒ 502,000원/㎡

Ⅳ. (물음 3) 수익환원법(토지잔여법)

1. 사례순수익 산정

(1) 총수익 : $40,000,000 \times 0.06 + 65,000,000 \times \frac{0.06 \times 1.06^3}{1.06^3 - 1}$ ≒ 26,717,000원

(2) 총비용(부가사용료는 제외) : 300,000 + 200,000 + 500,000 + 1,000,000
≒ 2,000,000원

(3) 순수익 : 26,717,000 − 2,000,000 ≒ 24,717,000원

2. 사례토지 귀속순수익 산정

24,717,000 − {(300,000 × 27/30 × 310) × 0.08} ≒ 18,021,000원(42,805원/㎡)

3. 대상토지 귀속순수익

42,805 × 1.000 × 1.00000 × 1.000 × 1/0.90 ≒ 47,561원/㎡
시*

*임대료 변동은 별도로 고려치 않음.

4. 수익가액

$\frac{47,561}{0.08}$ ≒ 595,000원/㎡

Ⅴ. (물음 4) 조성원가법

1. 준공시점의 토지가격

(1) 소지매입가의 적정성 검토

1) 공시지가기준법

① 비교표준지 선정 : 조성 전 기준으로 계획관리지역, 전으로서 유사한 표준지 2를 선정함.

② 공시지가기준가액

250,000 × 1.00681* × 1.000 × 1.000 × 1.00 ≒ 252,000원/㎡

*2024.1.1.~2024.3.1. S시 계획관리

: $1.00352 \times 1.00317 \times (1 + 0.00332 \times \frac{1}{31})$

2) 거래사례비교법

① **사례선정** : 계획관리지역, 전으로서 조성 전 본건과 유사한 거래사례 A를 선정함(240,000원/㎡).

② **비준가액**

240,000 × 1.000 × 1.00000* × 1.000 × 105/100 ≒ 252,000원/㎡

*2024년 3월 1일 기준

3) 소지매입가격의 적정성 검토

소지매입시점의 시산가액이 본건의 매입금액(250,000원/㎡)과 유사한 것으로 보아 본건의 매입금액의 합리성이 지지되는 것으로 판단된다.

(2) 준공시점(2024.12.1.)의 소지가격 : 250,000 × 1.04591* ≒ 261,000원/㎡

*2024.3.1.~2024.12.1. 투하자본수익률 : $(1 + 0.005)^9$

2. 조성비용 등

$135,000 \times 1.1 \times (0.5 \times (1+0.005)^6 + 0.5) + (\frac{1,200,000}{420} + 50,000) \times (1 + 0.005)^6$ ≒ 205,000원/㎡

3. 준공시점의 토지가액(2024.12.1.)

261,000 + 205,000 ≒ 466,000원/㎡

4. 적산가액(기준시점)

466,000 × 1.00632* ≒ 469,000원/㎡

*2024.12.1.~2025.1.15. S시 계획관리

$1.00425 \times (1 + 0.00425 \times \frac{15}{31})$

Ⅵ. (물음 5) 감정평가액결정

「감정평가에 관한 규칙」 제14조에 의거하여 공시지가기준가액(493,000원/㎡)으로 결정하되, 다른 방법에 의한 시산가액에 의하여 그 합리성이 지지되는 것으로 판단된다. 단, 수익가액의 경우 공장이 완료된 이후의 수익을 기준으로 산출했다는 점, 지상의 건물이 있는 점을 고려한 가설적 평가라는 점 등으로 인하여 공장건물 신축 이후의 기대적인 이익이 반영되어 다소 높게 산출된 것으로 판단된다.

(∴ 207,060,000원)

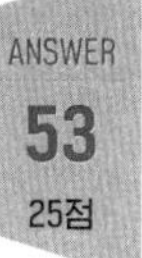

Ⅰ. 평가개요

본건은 복합부동산에 대한 일반거래 목적의 감정평가로 기준시점은 현장조사 완료일자인 2025년 1월 15일을 기준함.

Ⅱ. (물음 1) 토지감정평가

1. 공시지가기준법

(1) 비교표준지 선정

준주거지역, 상업용 등 공법상 제한 유사한 표준지 2를 선정함.

(2) 시점수정치(2024.1.1.~2025.1.15. 주거지역)

1.03150 × (1+0.00254 × 15/31) ≒ 1.03277

(3) 지역요인 비교치

인근지역으로서 대등함. 1.000

(4) 개별요인 비교치

1.00 × 1.10 × 1.00 = 1.100

(5) 그 밖의 요인보정치 : 1.00

(6) 공시지가기준가액

3,000,000 × 1.03277 × 1.000 × 1.100 × 1.00 ≒ 3,410,000원/㎡

시 지 개 그

2. 거래사례비교법

(1) 사례선정

준주거지역, 상업용 등 제시된 인근 거래사례를 선정함.

(2) 사례토지가격 산정

[8,000,000,000 − 500,000 × 0.99237* × 1.000 × (0.75 × 50/50 + 0.25 × 15/15) × 3,300] ÷ 1,980 ≒ @3,213,429

*시점수정 ($\frac{2024.11}{2025.1}$, 생산자물가지수) : $\frac{130.00}{131.00}$

(3) 시점수정치(2024.12.1.~2025.1.15. 주거지역)

$1.00254 \times (1 + 0.00254 \times \frac{15}{31}) ≒ 1.00377$

(4) 지역요인 비교치

인근지역으로서 대등함 1.000

(5) 개별요인 비교치

1.00 × 1.00 × 1.00 = 1.000

(6) 비준가액

3,213,429 × 1.000 × 1.00377 × 1.000 × 1.000 ≒ 3,220,000원/㎡

3. 수익환원법

(1) 사례 상각 전 순수익

① 총수익 : 210,000,000 + (85,000,000 + 15,000,000) × 12 ≒ 1,410,000,000원

② 총비용(감가상각비, 이자, 소득세 제외) : 50,000,000 + 80,000,000 + 20,000,000 + 20,000,000 ≒ 170,000,000원

③ 순수익 : 1,410,000,000 − 170,000,000 = 1,240,000,000원

(2) 사례토지 귀속순수익

① 사례건물가격 : 720,000 × (0.75 × 45/50 + 0.25 × 10/15) × 1.000 ≒ 606,000원/㎡(5,575,200,000원)

② 사례토지 귀속순수익 : 1,240,000,000 − 5,575,200,000 × 0.12 ≒ 570,976,000원(286,204원/㎡)

(3) 수익가액 산정

① 대상토지 귀속순수익

286,204 × 1.000 × 1.00000 × 1.000 × 1.200 ≒ 343,445원/㎡
개*

*개별요인 비교치 : 1.20 × 1.00 × 1.00

② 수익가액 : 343,445 ÷ 0.1 ≒ 3,430,000원/㎡

4. 토지가액 결정

공시지가기준가액과 비준가액, 수익가액이 유사한 등 합리성이 인정되는 바, 공시지가기준가액을 기준으로 3,410,000원/㎡으로 결정함.

(∴ 3,410,000 × 2,000 = 6,820,000,000원)

Ⅲ. (물음 2)

1. 재조달원가

720,000 × 1.00000 × 98/100 ≒ 705,000원/㎡
시 개

2. 적산가액

705,000 × (0.75 × 45/50 + 0.25 × 10/15) ≒ 593,000원/㎡(6,641,600,000원)

Ⅳ. (물음 3)

6,820,000,000 + 6,641,600,000 = 13,461,600,000원

ANSWER 54
25점

Ⅰ. 평가개요

1. 본건은 나대지에 대한 담보취득 목적의 감정평가로서 2025년 8월 29일을 기준시점으로 평가함.
2. 3필지 일단의 건축 중인 건물이 소재하는바 용도상 불가분 관계로서 일단지를 기준함.

Ⅱ. 공시지가기준법

1. 비교표준지 선정

본건의 최유효이용은 상업 및 업무용이며, 준공업지역으로서 노선상가지대로 지리적으로 인접한 표준지 A를 선정함.

2. 시점수정치(2025.1.1.~2025.8.29. 공업지역) : 1.01200

3. 지역요인 비교치

인근지역으로서 대등함. 1.000

4. 개별요인 비교치

100/93 ≒ 1.075

5. 그 밖의 요인보정치

(1) 선례선정

준공업지역, 상업용, 광대한면 등 표준지와 가장 비교가능성이 있는 평가선례 4를 선정함.

(2) 시점수정치(2024.9.30.~2025.8.29. 공업지역) : 1.02621

(3) 지역요인 비교치

인근지역으로서 대등함. 1.000

(4) 개별요인 비교치

93/110 ≒ 0.845

(5) 그 밖의 요인보정치 산정

: $\frac{8,300,000 \times 1.02621 \times 1.00 \times 0.845}{4,720,000 \times 1.01200} \fallingdotseq 1.506$

상기와 같이 격차율이 산정되었는바, 인근지역의 수준 등을 참작하여 1.50으로 결정함.

6. 공시지가기준가액

4,720,000 × 1.01200 × 1.000 × 1.075 × 1.50 ≒ 7,700,000원/㎡

Ⅲ. 거래사례비교법

1. 사례선정

준공업지역의 상업용으로서 토지의 거래사례인 거래사례 "가"를 선정함. 지상건물은 노후화되어 가치가 미미한바 배분법을 적용하지 않는다(7,344,541원/㎡).

2. 시점수정치(2024.8.16.~2025.8.29. 공업지역) : 1.02714

3. 지역요인 비교치

인근지역으로서 대등함. 1.000

4. 개별요인 비교치

100/95 ≒ 1.053

5. 비준가액

7,344,541 × 1.000 × 1.02714 × 1.000 × 1.053 ≒ 7,940,000원/㎡

Ⅳ. 개발법

1. 처리방침

예정부동산의 가액에서 건축비를 차감하여 토지의 가치를 평가함.

2. 예정부동산의 가액(일체거래사례비교법)

(1) 사례선정

본건의 예정부동산과 유사한 거래사례 "나"를 선정함(3,350,000원/㎡).

(2) 예정부동산의 평가액

3,350,000 × 1.000 (사) × 1.00000 (시(보합)) × 1.000 (지) × 1.111 (개*) ≒ 3,720,000원/㎡(32,100,252,000원)

*개별요인 비교치 : 100/90

3. 건축공사비

1,200,000원/㎡ × 8,629.1㎡ = 10,354,920,000원

4. 개발법에 의한 토지가치

32,100,252,000 − 10,354,920,000 = 21,745,332,000원(10,600,000원/㎡)

V. 감정평가액의 결정

「감정평가에 관한 규칙」 제14조에 의하여 공시지가기준법으로 결정하되, 거래사례비교법에 의하여 그 합리성이 인정되는 것으로 판단된다.

다만, 개발법의 경우 "가설적 평가"로서 평가방법에 사업의 위험 및 향후의 기대이익이 정확하게 반영되지 못할 수 있어 시산가액 간의 괴리가 발생하는 것으로 판단되므로, 고려하지 않는다.

∴ 7,700,000원/㎡(× 2,056.1 = 15,831,970,000원)

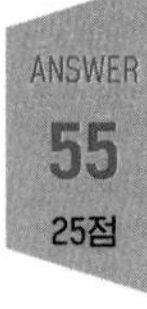

Ⅰ. 평가개요

1. 본건은 송파구 가락동에 위치하는 숙박시설에 대한 담보목적의 감정평가로서 2025년 10월 20일을 기준시점으로 평가함.
2. 「감정평가에 관한 규칙」 제7조에 의하여 개별평가하되, 일괄평가액에 의하여 그 합리성을 검토함.

Ⅱ. 개별평가(원가법)

1. 토지의 감정평가액

(1) 공시지가기준법

1) 비교표준지 선정

일반상업지역, 상업용으로서 본건과 유사한 이용상황이며, 지리적으로 근접한 표준지 A를 선정함.

2) 시점수정치(2025.1.1.~2025.10.20.) : 1.02669

3) 지역요인 비교치

인근지역으로서 대등함. 1.000

4) 개별요인 비교치

1.00 × 1.00 × 1.00 × 0.97 × 1.00 × 1.00 ≒ 0.970

5) 그 밖의 요인보정치

① 선례선정

일반상업지역, 상업 및 업무용으로서 본건의 평가목적, 평가시점을 고려하여 평가선례 4를 선정함.

② 시점수정치(2024.10.18.~2025.10.20.) : 1.03026

③ 지역요인 비교치

인근지역으로서 대등함. 1.000

④ 개별요인 비교치

1.00 × 1.05 × 1.05 × 1.00 × 1.00 × 1.00 ≒ 1.103

⑤ 그 밖의 요인보정치 산정(비교표준지 기준)

$$\frac{15,000,000 \times 1.03026 \times 1.000 \times 1.103}{14,400,000 \times 1.02669} ≒ 1.152$$

∴ 상기와 같이 산출된 바, 인근 토지의 지가수준을 고려하여 15% 증액보정함(1.15).

6) 공시지가기준가액 : 14,400,000 × 1.02669 × 1.000 × 0.970 × 1.15 ≒ 16,500,000원/㎡

(2) 거래사례비교법

1) 사례선정

일반상업지역으로서 이용상황 및 주변환경이 유사한 나지 거래사례 "가"를 선정함(15,212,741원/㎡).

2) 시점수정치(2024.6.30.~2025.10.20. 상업지역) : 1.03219

3) 지역요인 비교치

인근지역으로서 대등함. 1.000

4) 개별요인 비교치

1.05 × 1.00 × 1.00 × 1.00 × 1.00 × 1.00 ≒ 1.050

5) 비준가액

15,212,741 × 1.000 × 1.03219 × 1.000 × 1.050 ≒ 16,500,000원/㎡

(3) 토지의 평가액 결정

「감정평가에 관한 규칙」 제14조에 의하여 공시지가기준법에 의하되, 거래사례비교법에 의하여 그 합리성이 지지된다.

∴ 16,500,000원/㎡(13,987,050,000원)

2. 건물의 감정평가액

(1) 지상층

(1,200,000 + 100,000) × 25/50 ≒ 650,000원/㎡

(2) 지하층

800,000 × 25/50 ≒ 400,000원/㎡

(3) 건물의 감정평가액

650,000 × 3,087.5 + 400,000 × 1,750.75 ≒ 2,707,175,000원

3. 개별평가액

13,987,050,000 + 2,707,175,000 = 16,694,225,000원

Ⅲ. 일체거래사례비교법

1. 사례선정

일반상업지역으로서 본건과 이용상황이 유사한 거래사례 "나"를 선정함.
(3,700,000원/㎡)

2. 시점수정치(2025.3.2.~2025.10.20. 자본수익률) : 1.01500

3. 가치형성요인 비교치

1.05 × 0.90 × 1.00 = 0.945

4. 비준가액

3,700,000 × 1.000 × 1.01500 × 0.945 ≒ 3,550,000원/㎡(17,176,000,000원)

Ⅳ. 일체수익환원법

1. 매출액

85,000 × 80 × 365 × 0.62 + 100,000 × 80 × 12 × 0.62 = 1,598,360,000원 (330,000원/㎡)

2. 순수익

330,000 × (1 − 0.4) = 198,000원/㎡

3. 일체수익가액

198,000 ÷ 0.06 ≒ 3,300,000원/㎡(15,966,000,000원)

Ⅴ. 시산가액 조정 및 감정평가액 결정

1. 시산가액

개별평가	일체비준가액	일체수익가액
16,694,225,000원	17,176,000,000원	15,966,000,000원

2. 시산가액 조정 및 평가액 결정

상기와 같이 시산된 바, 일체평가액에 의하여 개별평가액의 합리성이 인정되는 것으로 판단된다. 따라서 「감정평가에 관한 규칙」상 주방법인 개별평가액에 의하여 결정함.

∴ 16,694,225,000원

ANSWER 56 30점

Ⅰ. 평가개요

본건은 복합부동산에 대한 세무서 제출 목적의 시가참조용 감정평가로서 가격조사 완료일인 2025년 11월 5일을 기준시점으로 평가함.

Ⅱ. 개별평가(원가법)

1. 토지의 평가

(1) 처리방침 : 본건은 둘 이상 용도지역에 걸친 토지이나 제1종일반주거지역에 걸치는 면적이 미미한바, 주된 용도지역(제2종일반주거지역)을 기준으로 평가함.

(2) 공시지가기준법

1) 비교표준지 선정

제2종일반주거지역, 상업용으로서 주변환경이 유사한 표준지 B를 선정함.

2) 시점수정치(2025.1.1.~2025.11.5. 광진구 주거지역)

$1.01359 \times (1 + 0.00188 \times 36/30) \fallingdotseq 1.01588$

3) 지역요인 비교치

인근지역으로서 대등함. 1.000

4) 개별요인 비교치

$\frac{100}{105} \times \frac{100}{96} \fallingdotseq 0.992$

5) 그 밖의 요인보정치

① 평가선례 선정 : 제2종일반주거지역, 상업용으로서 최근에 평가되어 유사한 평가선례 “가”를 선정함.

② 시점수정치(2025.10.2.~2025.11.5. 광진구 주거지역)

$1 + 0.00188 \times 35/30 \fallingdotseq 1.00219$

③ 지역요인 비교치

인근지역으로서 대등함. 1.000

④ 개별요인 비교치

$\frac{105}{110} \times \frac{96}{100} \fallingdotseq 0.916$

⑤ 그 밖의 요인보정치 산정

$$\frac{10{,}500{,}000 \times 1.00219 \times 1.000 \times 0.916}{6{,}740{,}000 \times 1.01588} \fallingdotseq 1.407$$

상기와 같이 산출된바, 인근지가 수준을 참작하여 40% 증액보정함(1.40).

6) 공시지가기준가액

$6{,}740{,}000 \times 1.01588 \times 1.000 \times 0.992 \times 1.40 \fallingdotseq 9{,}510{,}000$원/㎡

(3) 거래사례비교법

1) 사례선정 : 제2종일반주거지역, 상업용으로서 배분법 적용이 가능한 거래사례 B를 선정함.

2) 사례토지가격

[2,030,000,000 − (900,000 + 50,000) × 0.98933* × 105/100 × (0.7 × 31/50 + 0.3 × 6/25) × 642.83] ÷ 202.2 ≒ @8,452,043

* ($\frac{2024.12}{2025.10}$, 생산자물가지수) : $\frac{111.30}{112.50}$

3) 시점수정치(2025.1.1.~2025.11.5. 광진구 주거지역) : 1.01588

4) 지역요인 비교치

인근지역으로서 대등함. 1.000

5) 개별요인 비교치

$\frac{100}{100} \times \frac{100}{92} \fallingdotseq 1.087$

6) 비준가액

8,452,043 × 1.000 × 1.01588 × 1.000 × 1.087 ≒ 9,330,000원/㎡

(4) 토지평가액 결정

「감정평가에 관한 규칙」에 의거 공시지가기준법에 의하되, 거래사례비교법에 의한 시산가액에 의하여 그 합리성이 인정된다.

∴ 9,510,000원/㎡(× 1,489.5 = 14,165,145,000원)

2. 건물의 평가액

(1) 가동의 평가액

900,000 × (0.7 × 33/50 + 0.3 × 20/25) ≒ 631,000원/㎡(2,542,280,000원)

(2) 나동의 평가액

900,000 × (0.7 × 18/50 + 0.3 × 20/25) ≒ 442,000원/㎡(458,213,000원)

(3) 건물의 평가액

2,542,280,000 + 458,213,000 = 3,000,493,000원

3. 개별평가액 합

14,165,145,000 + 3,000,493,000 = 17,165,638,000원

Ⅲ. 일체 수익가액

1. 1기 순수익

(1) 가능총수익

$(10,000,000 \times 1/3.3 \times 5,065.65) \times (0.2 \times 0.03 + 0.8 \times 0.09)$

$\fallingdotseq 1,197,335,000$원

(2) 유효총수익 : $1,197,335,000 \times (1 - 0.05) \fallingdotseq 1,137,468,000$원

(3) 1기 순수익 : $1,137,468,000 \times (1 - 0.1) \fallingdotseq 1,023,721,000$원

2. 보유기간 중 순수익 합계

$$1,023,721,000 \times \frac{1-(\frac{1.02}{1.06})^5}{0.06-0.02} \fallingdotseq 4,477,924,000\text{원}$$

3. 기간 말 복귀가치의 현가

$$\frac{1,023,721,000 \times 1.02^5(6\text{기 } NOI)}{0.07} \times (1 - 0.02) \times \frac{1}{1.06^5}$$

$\fallingdotseq 11,824,456,000$원

4. 수익가액

$4,477,924,000 + 11,824,456,000 = 16,302,380,000$원

Ⅳ. 감정평가액 결정

상기와 같이 산출되었는바, 주 방법인 물건별 평가의 합리성이 인정되는 것으로 판단된다. 따라서 주 방법에 따라 17,165,638,000원으로 결정함.

ANSWER 57 25점

Ⅰ. 평가개요

토지에 대한 경매목적 감정평가로서 가격조사완료일인 2025년 8월 4일을 기준시점으로 평가한다.
둘 이상 용도지역에 속한 토지로서 용도지역별로 구분평가한다.

Ⅱ. 비교표준지 선정

계획관리지역 공업용은 표준지 가를, 농림지역 공업용은 표준지 다를 각각 선정한다.

Ⅲ. 시점수정치

1. 표준지 가 기준(2025.1.1.~2025.8.4. 계획관리)

1.00986 × (1 + 0.00198 × 35/30) ≒ 1.01219

2. 표준지 다 기준(2025.1.1.~2025.8.4. 농림)

1.00887 × (1 + 0.00178 × 35/30) ≒ 1.01097

Ⅳ. 개별요인 비교치(본건은 세각(가), 세장형)

1. 표준지 가 기준

95/95 × 98/100 × 105/100 ≒ 1.029

2. 표준지 다 기준

95/100 × 98/96 × 105/100 ≒ 1.018

Ⅴ. 그 밖의 요인비교치

1. 거래사례 선택

표준지 가는 계획관리지역의 공업용으로서 비교가능성이 있는 거래사례 2를 선정하며, 표준지 다는 농림지역의 공업용으로서 비교가능성이 있는 거래사례 1을 선정한다.

2. 표준지 가(계획관리, 공업용) 기준 격차율

(1) 거래사례 토지단가

(2,400,000,000 − 500,000 × 23/40 × 1,500) ÷ 4,000 ≒ @492,188

(2) 격차율 산정

$$\frac{492{,}188\times1.000(\text{사정})\times1.01433^{*}\times1.000(\text{지역})\times1.000^{**}}{385{,}000\times1.01219} \fallingdotseq 1.280$$

*시점(2024.12.01.~2025.08.04. 계획관리) : 1.00211 × 1.00986 × (1 + 0.00198 × 35/30)

**개별요인 : 95/95 × 100/100 × 100/100

3. 표준지 다(농림, 공업용) 기준 격차율

(1) 거래사례 토지단가

(1,260,000,000 − 450,000 × 16/40 × 1,000) ÷ 3,000 = @360,000

(2) 격차율 산정

$$\frac{360{,}000\times1.000(\text{사정})\times1.00386^{*}\times1.000(\text{지역})\times1.003^{**}}{295{,}000\times1.01097} \fallingdotseq 1.215$$

*시점(2025.06.01.~2025.08.04. 농림) : 1.00178 × (1 + 0.00178 × 35/30)

**개별요인 : 100/95 × 96/96 × 100/105

4. 결정 : 상기 요인치를 고려하여, 표준지 가는 1.28, 표준지 다는 1.21을 각각 적용한다.

Ⅵ. 감정평가액 결정

1. 계획관리지역 부분

385,000 × 1.01219 × 1.000 × 1.029 × 1.28 ≒ 513,000원/㎡

2. 농림지역 부분

295,000 × 1.01097 × 1.000 × 1.018 × 1.21 ≒ 367,000원/㎡

3. 감정평가액 결정

용도지역별 면적비율로 가중평균한다.

513,000 × 1/2 + 367,000 × 1/2 = 440,000원/㎡(×5,522㎡ = 2,429,680,000원)

ANSWER 58 25점

Ⅰ. 평가개요

본건은 서울특별시 서초구 서초동에 소재하는 나대지에 대한 담보취득 목적의 감정평가로서 가격조사 완료일인 2025년 11월 26일을 기준시점으로 평가함.

Ⅱ. 공시지가기준법

1. 비교표준지 선정

제3종일반주거지역, 상업용으로서 본건과 지리적 접근성 등 제반 비교가능성이 높은 표준지 A를 선정함.

2. 시점수정치(2025.1.1.~2025.11.26. 서초구 주거지역)

$$1.03703 \times (1 + 0.00416 \times \frac{26}{31}) \fallingdotseq 1.04065$$

3. 지역요인 비교치

인근지역으로서 대등함. 1.000

4. 개별요인 비교치

$$\underset{\text{가}}{\frac{80 \times 1.05}{80 \times 1.05}} \times \underset{\text{접}}{\frac{1 - 15 \times 0.02}{1 - 15 \times 0.02}} \times \underset{\text{환}}{1.00} \times \underset{\text{행}}{1.00} \times \underset{\text{획}}{\frac{95}{100}} \times \underset{\text{기}}{1.00} \fallingdotseq 0.950$$

5. 그 밖의 요인보정치

(1) 평가선례의 선정

제3종일반주거지역, 상업 및 업무용으로서 본건과 유사하며, 평가목적을 고려하여 평가선례 3을 선정함(본건 평가선례는 가격균형 유지라는 취지에 따라 활용하지 아니함).

(2) 시점수정치(2024.11.24.~2025.11.26. 서초구 주거지역)

$$1.03703 \times (1 + 0.00416 \times \frac{26}{31}) \fallingdotseq 1.04065$$

(3) 지역요인 비교치

인근지역으로서 대등함. 1.000

(4) 개별요인 비교치

$$\underset{\text{가}}{\frac{80 \times 1.05}{80 \times 1.05}} \times \underset{\text{접}}{\frac{1 - 15 \times 0.02}{1 - 13 \times 0.02}} \times \underset{\text{환}}{1.00} \times \underset{\text{행}}{1.00} \times \underset{\text{획}}{\frac{100}{108}} \times \underset{\text{기}}{1.00} \fallingdotseq 0.876$$

(5) 그 밖의 요인보정치 산정

$$\frac{15,800,000 \times 1.04065 \times 1.000 \times 0.876}{9,210,000 \times 1.04065} \fallingdotseq 1.502$$

상기와 같이 산출된바, 인근의 지가수준을 참작하여 50% 증액보정함(1.50).

6. 공시지가기준가액

9,210,000 × 1.04065 × 1.000 × 0.950 × 1.50 ≒ 13,700,000원/㎡

Ⅲ. 거래사례 비교법

1. 사례선정

제3종일반주거지역, 상업용으로서 본건과 인접하여 비교가능성이 있는 거래사례 1을 선택함.

2. 사례토지가격

(5,189,950,000 − 550,000 × 31/50 × 1,841.04) ÷ 334.6 ≒ @13,634,654

3. 시점수정치(2025.5.20.~2025.11.26. 서초구 주거지역) : 1.02306

4. 지역요인 비교치

인근지역으로서 대등함. 1.000

5. 개별요인 비교치

$$\frac{80 \times 1.05}{80 \times 1.05} \times \frac{1-15 \times 0.02}{1-17 \times 0.02} \times 1.00 \times 1.00 \times \frac{95}{100} \times 1.00 \fallingdotseq 1.008$$

가　　　접　　　환　　행　　획　　기

6. 비준가액

13,634,654 × 1.000 × 1.02306 × 1.000 × 1.008 ≒ 14,100,000원/㎡

Ⅳ. 개발법(준공 후 부동산 가치기준)

1. 준공 후 부동산의 가치(수익환원법)

(1) 전 층의 총수익

1) 1층의 총수익(관리비 제외)

70,000 × 12월 + 70,000 × 12월 × 0.03 ≒ 865,000원/㎡

2) 전 층의 총수익(관리비 포함)

$$(865{,}000 \times \frac{1{,}864.35}{8}) \times \frac{40+100+50+30\times5}{100} + 4{,}000 \times 1{,}864.35 \times 12\text{월}$$

≒ 774,870,000원

(2) 순수익 : 774,870,000 − (4,000 × 1,864.35 × 12월) × 0.8 ≒ 703,279,000원

(3) 준공 후 부동산가치 : $\frac{703{,}279{,}000}{0.04+0.03}$ ≒ 10,046,843,000원

2. 토지의 가치

10,046,843,000 − 1,864.35 × 1,000,000 ≒ 8,182,493,000원(14,500,000원/㎡)

Ⅴ. 시산가액 조정 및 평가액 결정

「감정평가에 관한 규칙」 제14조에 의거하여 공시지가기준법에 의하되, 다른 방식에 의하여 그 합리성이 지지되는 것으로 판단된다.

∴ 13,700,000원/㎡으로 결정함(7,745,980,000원).

(평가목적 등 고려하여 본건의 평가선례와의 균형이 유지된다.)

ANSWER 59 25점

PART 02

Ⅰ. 평가개요

본건은 S생명보험사가 의뢰한 복합부동산에 대한 담보취득 목적의 감정평가로서 2025년 10월 23일을 기준시점으로 평가함.

Ⅱ. 개별평가(원가법)

1. 토지의 감정평가액(공시지가기준법)

(1) 처리방침 : 둘 이상 용도지역에 걸친 토지로서 이와 유사한 표준지, 사례를 기준하되, 용도지역의 비율은 행정적 조건으로 보정함.

(2) 비교표준지 선정 : 일반상업지역, 제3종일반주거지역으로서 상업용으로서 본건과 유사한 표준지 1을 선정함.

(3) 시점수정치(2025.1.1.~2025.10.23. 주된 용도지역인 상업지역을 기준함)
$1.02673 \times (1 + 0.00359 \times 23/30) ≒ 1.02956$

(4) 지역요인 비교치
인근지역으로서 대등함. $100/100 = 1.000$

(5) 개별요인 비교치
$$\frac{0.98}{1.00} \times 1.00 \times 1.00 \times \frac{90}{92} \times \frac{0.98}{0.98} \times 1.00 ≒ 0.959$$
가 접 환 행 획 기

(6) 공시지가기준가액
$17,300,000 \times 1.02956 \times 1.000 \times 0.959 \times 2.00 ≒ 34,200,000$원/㎡
(22,674,600,000원)

2. 건물의 평가액(원가법)

(1) 재조달원가

1) 처리방침
본건 공사비는 시공사의 부도 등 개별적인 사정이 개입되어 있는바, 간접법에 의함.

2) 재조달원가
① 지상층(기호 1을 적용함.) : $1,550,000 + 170,000$ ≒ 1,720,000원/㎡(9,444,916,000원)
② 지하층 : $1,720,000 \times 0.8 ≒ 1,370,000$원/㎡(3,358,021,000원)
③ 재조달원가 : $9,444,916,000 + 3,358,021,000 = 12,802,937,000$원

(2) 감가수정(분해법)

1) 물리적 감가

12,802,937,000 × 3/55(3년 경과) ≒ 698,342,000원

2) 기능적 감가

① 치유타당성 검토 : (500 × 12월 × 7,942.34) ÷ 0.1 − 300,000,000
≒ 176,540,000 > 0 (치유가능)

② 기능적 감가액 : 300,000,000 − 10,000 × 7,942.34 ≒ 220,577,000원

3) 감가수정액 : 698,342,000 + 220,577,000 = 918,919,000원

(3) 건물의 평가액 : 12,802,937,000 − 918,919,000 = 11,884,018,000원

3. 개별평가액 합

22,674,600,000 + 11,884,018,000 = 34,559,000,000원

Ⅲ. 일체거래사례비교법

1. 사례선정

업무용 시설로서 인근지역에 위치하며, 본건과 개별적인 유사성이 뛰어날 것으로 판단되는 거래사례 B를 선택함(32,500,000,000 ÷ 6,857.4㎡ ≒ @4,739,406).

2. 시점수정치(2024.6.16.~2025.10.23. 오피스 자본수익률)

$$(1+0.01360\times\frac{15}{91})\times1.01080\times1.01290\times1.01260\times1.01370\times(1+0.01370\times\frac{115}{91})$$

≒ 1.07153

3. 가치형성요인 비교치

0.40 × 0.9 + 0.20 × 1.00 + 0.15 × 1.00 + 0.10 × 1.00 + 0.15 × 1.00 ≒ 0.960

4. 비준가액

4,739,406 × 1.000 × 1.07153 × 0.960 ≒ 4,875,279원/㎡
(× 7,857.31 ≒ 38,507,000,000원)

Ⅳ. 일체 수익환원법

1. 순수익

(1) 가능총수익 : 1,950,000,000 × 0.04 + 151,536,000 × 12월 + 41,161,000 × 12월
= 2,390,364,000원

(2) 유효총수익 : 2,390,364,000 × (1 − 0.05) ≒ 2,270,846,000원

(3) 순수익 : 2,270,846,000 − (41,161,000 × 0.95 × 12월 × 0.8) ≒ 1,895,458,000원

2. 수익가액

1,895,458,000 ÷ 0.05 ≒ 37,909,000,000원

Ⅴ. 시산가액 조정 및 평가액 결정

1. 시산가액

원가법(개별평가)	거래사례비교법	수익환원법
34,559,000,000	38,344,000,000	37,909,000,000

2. 감정평가액 결정

「감정평가에 관한 규칙」 제7조에 의하여 개별평가액을 기준하되, 다른 방법에 의한 시산가액에 의하여 그 합리성이 지지되는 것으로 판단된다.

∴ 34,559,000,000원으로 결정함.

ANSWER 60
25점

Ⅰ. 평가개요

1. 본건은 파주시 적성면 소재 창고시설에 대한 일반거래 목적의 감정평가로서 2025년 10월 17일을 기준시점으로 함.
2. 본건 중 일부는 자연림 상태로서 창고시설과 구분평가함.

Ⅱ. 창고시설의 감정평가액(기호 1~6)

1. 개별평가(물건별 평가)

(1) 토지 감정평가액(6필지 일단지)

1) 공시지가기준법

① 비교표준지 선정 : 계획관리지역으로서 이용상황이 유사한 표준지 B를 선정함.

② 시점수정치(2025.1.1.~2025.10.17. 파주시 계획관리)
$1.01636 \times (1 + 0.00189 \times 47/31) \fallingdotseq 1.01927$

③ 지역요인 비교치 : 인근지역으로서 대등함. 1.000

④ 개별요인 비교치 : $1.00 \times 1.00 \times 0.95 \fallingdotseq 0.950$

⑤ 그 밖의 요인보정치(비교표준지 기준)

a. 선례선정 : 비교표준지와 유사하며, 최근에 평가된 평가선례 b를 선정함.

b. 시점수정치(2025.9.1.~2025.10.17. 파주시 계획관리)
$1 + 0.00189 \times 47/31 \fallingdotseq 1.00287$

c. 지역요인 비교치 : 인근지역으로서 대등함. 1.000

d. 개별요인 비교치 : $100/95 \fallingdotseq 1.053$

e. 그 밖의 요인보정치 산정

$$\frac{136{,}000 \times 1.00287 \times 1.000 \times 1.053}{108{,}000 \times 1.01927} \fallingdotseq 1.304$$

∴ 상기와 같이 격차율이 시산되었는바, 인근 지가수준을 고려하여 30% 증액보정함(1.30).

⑥ 공시지가기준가액 : $108{,}000 \times 1.01927 \times 1.000 \times 0.950 \times 1.30$
$\fallingdotseq 136{,}000$원/㎡

2) 거래사례비교법

① 사례선정 : 계획관리지역, 창고시설로서 배분법 적용이 가능한 거래사례 “가”를 선정함(거래사례 “나”는 사정개입, 거래사례 “다”는 현황 불일치로 배제함).

② 사례토지거래가격 : $4{,}500{,}000{,}000 - (420{,}000(9\text{m 기준}) \times 1.05 \times 8{,}500 \times 27/35) \fallingdotseq 1{,}608{,}300{,}000$원(133,391원/㎡)

③ 시점수정치(2025.9.1.~2025.10.17. 파주시 계획관리)

$1 + 0.00189 \times \frac{47}{31} \fallingdotseq 1.00287$

④ 지역요인 비교치 : 인근지역으로서 대등함. 1.000

⑤ 개별요인 비교치 : 1.00 × 1.00 × 0.95 ≒ 0.950

⑥ 비준가액

133,391 × 1.00 × 1.00287 × 1.00 × 0.950 ≒ 127,000원/㎡

3) 토지평가액 결정

상기와 같이 시산된바, 「감정평가에 관한 규칙」 제14조에 따라 공시지가기준법에 의하되, 거래사례비교법에 의하여 그 합리성이 인정되는 것으로 판단된다. (136,000원/㎡)(× 23,684㎡ = 3,221,024,000원)

(2) 건물의 평가액

1) 재조달원가

① 직접법 : 전체 계약금액 중 토지가치 화체되는 "옹벽공사, 토지 인허가비, 개발부담금" 제외(설계비 및 크레인비용 포함) / 8,400,000,000 × (1 − 0.05 − 0.03) ≒ 7,728,000,000원(484,000원/㎡)

② 간접법 : 420,000 × 0.95 ≒ 399,000원/㎡

③ 재조달원가 결정 : 직접법은 건물과 무관한 비용이 포함되어 있으며, 일반적인 도급 관행과의 차이, 시간의 격차가 있어 간접법과 다소 괴리가 되는 것으로 판단된다. 따라서 객관성이 인정되는 간접법을 기준하도록 함(399,000원/㎡).

2) 건물의 평가액 : 399,000 × 31/35 ≒ 353,000원/㎡

(× 15,957.1 ≒ 5,632,856,000원)

(3) 개별평가액 합계 : 3,221,024,000 + 5,632,856,000 = 8,853,880,000원

2. 일체 수익환원법

(1) 가능총수익 : 1,807,470,000 × 0.03 + (45,000,000 + 1,500 × 1,300) × 12월 ≒ 617,624,000원

(2) 유효총수익 : 617,624,000 × (1 − 0.05) ≒ 586,743,000

(3) 순수익 : 586,743,000 − (7,000,000 × 12월) ≒ 502,743,000원

(4) 수익가액 : 502,743,000 ÷ 0.06 ≒ 8,379,050,000원

3. 창고시설의 감정평가액

양 시산가액 간의 유사성이 있는 것으로 판단되며, 「감정평가에 관한 규칙」에 의거 개별평가액 기준 8,853,880,000원으로 결정하되, 일체 평가액에 의하여 그 합리성이 인정된다.

Ⅲ. 임야부분의 평가액(기호 7)

1. 처리방침

인근에 유사한 거래사례가 없으므로 공시지가기준법에 의하여 평가하되, 비교표준지는 계획관리지역의 임야로서 표준지 E를 선정함. 임지상에 자생하는 활잡목은 평가외하도록 함.

2. 시점수정치(2025.1.1.~2025.10.17. 파주시 계획관리) : 1.01927

3. 지역요인 비교치 : 인근지역으로서 대등함. 1.000

4. 개별요인 비교치 : 1.20 × 1.00 × 1.00 ≒ 1.200

5. 그 밖의 요인보정치 : 창고부분의 보정치와 동일함(1.30).

6. 감정평가액

15,000 × 1.01927 × 1.000 × 1.200 × 1.30 ≒ 24,000원/㎡(81,600,000원)

Ⅳ. 전체 감정평가액

8,853,880,000 + 81,600,000 = 8,935,480,000원

ANSWER 61 35점

PART 02

Ⅰ. 평가개요

1. 본건은 토지에 대한 담보 감정평가로서 2025년 11월 2일을 기준시점으로 한다.
2. 「감정평가에 관한 규칙」 제14조에 의하여 공시지가기준법에 의하되 거래사례비교법에 의하여 합리성을 검토한다.
3. 기호 #1~7은 일단지이며, 둘 이상 용도지역에 걸친 토지로서 용도지역별로 구분평가한다.
4. 도로부분은 평가 외 한다.

Ⅱ. 일단의 공장부지(기호 #1~7)의 평가액

1. 비교표준지 선정

일반공업지역, 공업용 부분은 A를, 자연녹지지역, 공업용은 C를 선정함.

2. 시점수정치(2025.1.1.~2025.11.2.)

(1) 공업지역(표준지 A)

$1.01478 \times (1 + 0.00262 \times 33/30) \fallingdotseq 1.01770$

(2) 녹지지역(표준지 C)

$1.03261 \times (1 + 0.00731 \times 33/30) \fallingdotseq 1.04091$

3. 지역요인 비교치

인근지역으로서 대등함. 1.000

4. 개별요인 비교치

(1) 일반공업지역 부분

1.00(가로) × 1.00(접근) × 1.00(환경) × 1.00(행정) × 0.95(획지)* × 1.00(기타)
= 0.950

*부정형/세장형 = 0.93/0.97

(2) 자연녹지지역 부분

1.00(가로) × 1.00(접근) × 1.00(환경) × 1.03(행정)* × 0.95(획지)** × 1.00(기타)
= 0.978

*행정 : $\frac{1}{0.8+0.2\times0.85}$

**부정형/세장형 = 0.93/0.97

5. 그 밖의 요인 비교치

(1) 비교표준지 A

1) 평가선례 등 선정

일반공업, 공업용으로서 담보평가선례인 평가선례 1을 선정함.

2) 격차율 산정

$$\frac{292{,}000 \times 1.00472^{*} \times 1.000 \times 1.043^{**}}{230{,}000 \times 1.01770} \fallingdotseq 1.307$$

*시점(2025.09.10.~2025.11.02. 포천 공업)

(1+0.00262 × 21/30) × (1+0.00262 × 33/30)

**개별(표준지 A / 선례 #1)

1.00(가로) × 1.00(접근) × 1.00(환경) × 1.00(행정) × 0.97/0.93(획지) × 1.00(기타)

3) 결정 : 상기 격차율을 고려하여 1.30으로 결정함.

(2) 비교표준지 C

1) 평가선례 등 선정

자연녹지, 공업용으로서 담보평가선례인 평가선례 5를 선정함.

2) 격차율 산정

$$\frac{219{,}000 \times 1.04090^{*} \times 1.000 \times 0.897^{**}}{140{,}000 \times 1.04091} \fallingdotseq 1.403$$

*시점(2024.12.31.~2025.11.02. 포천 녹지)

(1 − 0.00039 × 1/31) × 1.03261 × (1 + 0.00731 × 33/30)

**개별(표준지 C / 선례 #5)

0.87/0.94(가로) × 1.00(접근) × 1.00(환경) × (0.8+0.2 × 0.85)(행정) × 1.00(획지) × 1.00(기타)

3) 결정 : 상기 격차율을 고려하여 1.40으로 결정함.

6. 공시지가기준가액

(1) 일반공업지역 부분

230,000 × 1.01770 × 1.000 × 0.950 × 1.30 ≒ 289,000원/㎡

(2) 자연녹지지역 부분

140,000 × 1.04091 × 1.000 × 0.978 × 1.40 ≒ 200,000원/㎡

(도로저촉부분 : 170,000원/㎡)

Ⅲ. 야적장 부분 평가액(공시지가기준법)

1. 비교표준지 선정

일반공업지역, 공업용으로서 A 선정함.

2. 공시지가기준가액

230,000 × 1.01770 × 1.000 × 0.814* × 1.30 ≒ 248,000원/㎡

*개별요인 : 1.00(가로) × 1.00(접근) × 1.00(환경) × 1.00(행정) × (0.93/0.97 × 0.85)(획지) × 1.00(기타)

Ⅳ. 감정평가액 결정

구분	평가단가(원/㎡)	면적(㎡)	총액
공업지역	289,000원/㎡	9,800	2,832,200,000
녹지지역(미저촉)	200,000원/㎡	3,700	740,000,000
녹지지역(도로저촉)	170,000원/㎡	1,500	255,000,000
도로부분	평가 외	800	–
공업지역(야적장, 기호 #8)	248,000원/㎡	1,593	395,064,000
공업지역(야적장, 기호 #9)	248,000원/㎡	504	124,992,000
소계	–	–	4,347,256,000

*평가목적 등 고려 시 본건 평가 선례와의 균형이 유지된다.

ANSWER 62 20점

Ⅰ. 평가개요

- 본건은 구분건물에 대한 감정평가로서 2025년 9월 30일이 기준시점이다.
- 「감정평가에 관한 규칙」 제16조에 의하여 거래사례비교법에 의하되, 근린생활시설의 경우 수익환원법에 의한 합리성을 검토하며, 다세대주택은 합리성 검토를 생략함.

Ⅱ. 거래사례비교법에 의한 시산가액

1. 거래사례 선택

(1) 기호 가 : 상가로서 본건과 층 요인이 유사한 #2를 선정한다.

(2) 기호 나 : 다세대주택으로서 본건과 연식 등 요인이 유사한 #3을 선정한다.

2. 시점수정치

(1) 기호 가(2025.3.6.~2025.9.30. 서울시 자본수익률(매장용(집합))

$$(1 + 0.0071 \times \frac{25}{91}) \times 1.0051 \times (1 + 0.0051 \times \frac{92}{91}) \fallingdotseq 1.01233$$

(2) 기호 나(2024.12.5.~2025.9.30. 매매가격지수)

2025년 7월 ÷ 2024년 11월 = 103.7 ÷ 102.7 ≒ 1.00974

3. 가치형성요인비교치

(1) 기호 가 : 100/95(외부) × 0.95(내부, 연식 열세) × 45/40(층별) ≒ 1.125

(2) 기호 나 : 1.00(외부) × 0.95(내부, 연식 열세) × 1.00(층별) ≒ 0.950

4. 비준가액

(1) 기호 가

3,000,000 × 1.000(사정) × 1.01233 × 1.125 ≒ 3,420,000원/㎡
(× 35 ≒ 120,000,000원)

(2) 기호 나

4,000,000 × 1.000(사정) × 1.00974 × 0.950 ≒ 3,840,000원/㎡
(× 35 ≒ 134,000,000원)

Ⅲ. 수익환원법에 의한 시산가액(기호 가)

1. 순수익 산정

(1) 가능총수입 : 20,000,000 × 0.02* + 600,000 × 12 = 7,600,000원

*국고채금리

(2) 유효총수입 : 7,600,000 × (1 − 0.05) = 7,220,000원

(3) 순수익 : 7,220,000 × (1 − 0.3) = 5,054,000원

2. 환원이율 결정(해당권역 연간 소득수익률 기준)

1.0104 × 1.0120 × 1.0105 × 1.0084 − 1 ≒ 4.194%(4.2%로 결정한다.)

3. 수익가액 산정

5,054,000 ÷ 0.042 ≒ 120,333,000원

Ⅳ. 감정평가액 결정

「감정평가에 관한 규칙」 제16조에 의하여 거래사례비교법으로 결정하며, 기호 가의 경우 수익환원법에 의하여 합리성이 인정되는 것으로 판단된다.

기호 가 : 120,000,000원

기호 나 : 134,000,000원

ANSWER
63
15점

Ⅰ. 평가개요

- 집합건물에 대한 감정평가로서 감칙 제16조 의하여 거래사례비교법에 의하되, 수익환원법에 의하여 합리성을 검토한다.
- 기준시점은 2025.7.10.이다.

Ⅱ. 거래사례비교법에 의한 시산가액

1. 사례 선택

상업용으로서 본건과 가치형성요인에서 대등한 사례 3번을 적용한다(사례 #1 : 후면부 사례로 요인비교 불가, 사례 #2 : 지하상가로서 상이, 사례 #4 : 시적격차).

700,000,000 ÷ 35(전유면적) = @20,000,000

2. 시점수정(2024.08.06.~2025.07.10.)

해당권역의 자본수익률을 기준한다.

(1 + 0.0055 × 56/92) × 1.0061 × 1.0057 × 1.0065 × (1 + 0.0065 × 10/91) ≒ 1.02255

3. 가치형성요인 비교치

100/95(단지외부) × 1.05(단지내부, 사용승인일) × 1.00(호별요인) × 1.00(기타요인) ≒ 1.105

4. 비준가액

20,000,000 × 1.000(사정) × 1.02255 × 1.105 ≒ @22,600,000(×40 = 904,000,000원)

Ⅲ. 수익환원법에 의한 시산가액

1. 순수익 산정

(80,000,000 × 0.03 + 3,750,000 × 12) × (1 − 0.05)(공실률) − 3,750,000 × 2개월 = 37,530,000원

2. 환원이율(소득수익률 기준)

1.0065 × 1.0120 × 1.0115 × 1.0105 − 1 ≒ 0.041(4.1%로 결정한다.)

3. 수익가액 : 37,530,000 ÷ 0.041 ≒ 915,000,000원

Ⅳ. 감정평가액 결정

거래사례비교법에 의하되, 수익환원법에 의하여 그 합리성이 인정된다(904,000,000원).

ANSWER 64 15점

Ⅰ. 평가개요

1. 집합건물에 대한 감정평가로서 기준시점은 2025년 6월 30일이다.
2. 「감정평가에 관한 규칙」 제16조에 의하여 거래사례비교법을 적용하되, 기호 1의 경우 수익환원법에 의하여 그 합리성을 검토하며, 기호 2의 경우에는 합리성 검토를 생략한다.

Ⅱ. 거래사례비교법

1. 거래사례의 선택

기호 1은 근린생활시설로서 가치형성요인이 유사한 거래사례 A를 선정하며, 기호 2는 다세대주택으로서 가치형성요인이 유사한 거래사례 D를 선정한다.

(1) 거래사례 A : 500,000,000 ÷ 50 = @10,000,000

(2) 거래사례 D : 180,000,000 ÷ 45 = @4,000,000

2. 시점수정

(1) 기호 1(2024.7.1.~2025.6.30. 자본수익률)

$$1.0074 \times 1.0059 \times 1.0047 \times \left(1 + 0.0047 \times \frac{91}{91}\right) \fallingdotseq 1.02289$$

(2) 기호 2(2024.10.1.~2025.06.30. 매매가격지수)

$$\frac{2025.05}{2024.09} = 108.57/106.74 \fallingdotseq 1.01714$$

3. 가치형성요인 비교치

(1) 기호 1 : 1.00/1.05 × 0.90/0.92 × 1.00/1.00 ≒ 0.932

(2) 기호 2 : 1.00/0.90 × 0.90/0.88 × 1.00/0.95 ≒ 1.196

4. 비준가액

(1) 기호 1

@10,000,000 × 1.00(사정) × 1.02289 × 0.932 ≒ @9,530,000 (×40 ≒ 381,000,000원)

(2) 기호 2

@4,000,000 × 1.00(사정) × 1.01714 × 1.196 ≒ @4,870,000(×60 ≒ 292,000,000원)

Ⅲ. 수익환원법에 의한 합리성 검토(기호 1)

1. 순수익

(10,000,000 × 0.02 + 1,800,000 × 12월) × (1 − 0.05) × (1 − 0.1) = 18,639,000원

2. 수익가액

$$\frac{18,639,000}{0.048} ≒ 388,000,000원$$

Ⅳ. 감정평가액 결정

「감정평가에 관한 규칙」 제16조에 의하여 거래사례비교법에 의하되, 기호 1의 경우 수익가액에 의하여 그 합리성이 인정된다.

기호 1 : 381,000,000원

기호 2 : 292,000,000원

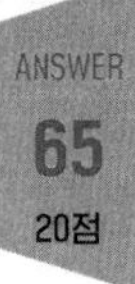

Ⅰ. 평가개요

본건은 H시 B동에 위치한 구분건물에 대한 일반거래 목적의 감정평가로서 2025년 10월 29일을 기준시점으로 평가함.

Ⅱ. 거래사례비교법

1. 사례선정

구분건물의 사례로서 본건과 같은 상업용 건물 내 소재하고 있으며, 본건과 개별적인 유사성이 뛰어난 B를 선택한다.

2. 시점수정치(2024.10.8.~2025.10.29. 매장용 자본수익률, 경기도)

(1 + 0.0005 × 85/92) × 1.0026 × 1.0021 × (1 + 0.0021 × 121/91)
≒ 1.00798

3. 가치형성요인 비교치

1.05(외부) × 1.03(내부) × 0.32/0.30(호별) ≒ 1.154

4. 비준가액

3,580,000 × 1.00 × 1.00798 × 1.154 ≒ 4,160,000원/㎡(5,981,000,000원)

Ⅲ. 원가법

1. 전체부동산 평가액

(1) 토지의 평가액(공시지가기준법)

1) 비교표준지 선정 : 일반상업, 상업용 등 제시된 표준지를 선정함

2) 시점수정치(2025.1.1.~2025.10.29. H시 상업지역 지가변동률)

(1 − 0.00329) × 1.00000 ≒ 0.99671

3) 그 밖의 요인 비교치

① 선정된 거래사례는 적정한 사례로 판단된다.

② 격차율 산정

$$\frac{5{,}790{,}000 \times 1.000 \times 0.99671^{*} \times 1.000 \times 1.100}{6{,}080{,}000 \times 0.99671} \fallingdotseq 1.047$$

③ 결정 : 상기 격차율을 고려하여 1.04로 결정한다.

4) 토지의 평가액

6,080,000 × 0.99671 × 1.000 × 0.950 × 1.04 ≒ 5,990,000원/㎡(× 3,690.3 = 22,104,897,000원)

(2) 건물의 평가액

1) 재조달원가 : 점포 및 상가로서 철근콘크리트조 슬래브지붕으로 유사한 3급을 기준하되 보정단가를 가산함.

950,000 + 100,000 = 1,050,000원/㎡

2) 건물의 평가액 : 1,050,000 × 42/50 ≒ 882,000원/㎡(28,950,424,020원)

(3) 전체부동산 평가액

22,104,897,000 + 28,950,424,020 = 51,055,321,020원

2. 평가대상부분의 가액

(1) 층・위치별 효용비율 : $\frac{32 \times 1,437.72}{403,700} \fallingdotseq 11.4\%$

(2) 평가대상부분의 가액 : 51,055,321,020 × 0.114 ≒ 5,820,000,000원

Ⅳ. 감정평가액 결정

「감정평가에 관한 규칙」 제16조에 의하여 구분건물은 거래사례비교법에 의하도록 규정되어 있으며, 원가법에 의한 가액에 의하여 그 합리성이 인정되는 것으로 판단된다.

∴ 5,981,000,000원

ANSWER 66
15점

Ⅰ. 평가개요

본건은 서울특별시 금천구에 소재하는 구분건물(아파트형 공장)에 대한 담보취득 목적의 감정평가로서 2025년 12월 18일을 기준시점으로 평가함.

Ⅱ. 거래사례비교법

1. 사례선정

본건과 같은 아파트형 공장으로서 사정개입 없는 등 거래사례 ㉠ 선택함(3,174,749원/㎡).

2. 시점수정치(2025.8.14.~2025.12.18. 서울지역 매장용(집합) 부동산 자본수익률)

(1 + 0.0029 × 48/92) × (1 + 0.0029 × 79/92) ≒ 1.00401

3. 가치형성요인 비교치

같은 건물로서 단지 내부, 외부요인은 대등하며, 층・호별 격차를 비교함.

1.00 × 1.00 × (100/100 × 95/100) = 0.950

4. 비준가액

3,174,749 × 1.000 × 1.00401 × 0.950 ≒ 3,030,000원/㎡(1,150,000,000원)

Ⅲ. 수익환원법

1. 총수익

(1) 사례의 실질임대료 : 100,000,000 × 0.03 + 5,000,000 × 12월 = 63,000,000원(166,000원/㎡)

(2) 본건의 실질임대료 : 166,000 × 1.020* ≒ 169,000원/㎡(64,185,000원)

*같은 건물로서 단지 내부, 외부요인은 대등하며, 층・호별 격차를 비교함.
1.00 × 1.00 × 100/98 × 1.00 ≒ 1.020

2. 본건의 순수익

64,185,000 × (1 − 0.05) × (1 − 0.1) ≒ 54,878,000원

3. 수익가액

54,878,000 ÷ 0.05 = 1,097,000,000원

Ⅳ. 평가액 결정

「감정평가에 관한 규칙」 제16조에 의하여 거래사례비교법에 의하되, 수익환원법에 의한 시산가액에 의하여 그 합리성이 인정되는 것으로 판단된다. 따라서 거래사례비교법에 의한 시산가액으로 결정함(1,150,000,000원).

※ 본건 건물의 분양계약서상 분양금액(VAT 제외)과도 유사하며, 감정평가액의 타당성이 지지된다.

ANSWER 67 25점

Ⅰ. 평가개요

1. 본건은 안산시 목내동 소재 공장(토지, 건물 등)에 대한 일반거래 목적의 감정평가로서 2025년 10월 27일을 기준시점으로 평가함.
2. 「감정평가에 관한 규칙」 제19조에 의거 개별 물건의 감정평가액을 합산하여 감정평가하며, 합리적으로 계속적 수익의 추정이 어려운바, 수익환원법의 적용은 하지 아니함.

Ⅱ. (물음 1) 토지의 감정평가액

1. 공시지가기준법

(1) 비교표준지의 선정

일반공업지역, 공업용 등 표준지 A를 선정함.

(2) 시점수정치(2025.1.1.~2025.10.27. 단원구 공업지역)

1.02450 × (1 − 0.00132 × 27/30) ≒ 1.02328

(3) 지역요인 비교치

인근지역으로서 대등함. 1.000

(4) 개별요인 비교치

0.95 × 0.98 × 1.00 × 1.00 × 1.00 × 1.00 ≒ 0.931

(5) 공시지가기준가액

789,000 × 1.02328 × 1.00 × 0.931 × 1.50 ≒ 1,130,000원/㎡

2. 거래사례비교법

(1) 사례선정

일반공업지역, 공업용으로서 인근지역에 위치하며, 배분법 적용이 가능한 거래사례 "가"를 선정함.

(2) 사례토지의 거래가격

[5,450,000,000 − (500,000 × 0.95579* × 1.05 × 33/40 × 2,792.65)] ÷ 3,307 ≒ @1,298,430

* $\frac{2024.03}{2025.09}$, 생산자물가지수 : $\frac{101.60}{106.30}$

(3) 시점수정치(2024.4.5.~2025.10.27. 단원구 공업지역)

1.01216 × 1.02450 × (1 − 0.00132 × 27/30) ≒ 1.03573

(4) 지역요인 비교치

인근지역으로서 대등함. 1.000

(5) 개별요인 비교치

0.90 × 0.95 × 1.00 × 1.00 × 1.00 × 1.00 ≒ 0.855

(6) 비준가액

1,298,430 × 1.000 × 1.03573 × 1.000 × 0.855 ≒ 1,150,000원/㎡

3. 회귀분석법에 의한 적정성 검토

(1) 회귀식의 결정 : 준공업지역인 사례 7은 제외하고, 독립변수를 "면적(㎡)", 종속변수를 토지의 "단가(원/㎡)"로 선형회귀분석을 실시함.

(2) 회귀식의 결정($y = ax + b$) : $y = -22.4x + 1{,}260{,}000$($R^2$ = 92%로 유의함)

(3) 대상토지가격의 결정($x = 5{,}569.5$㎡) : −22.4 × 5,569.5 + 1,260,000 ≒ 1,140,000원/㎡

4. 토지의 감정평가액 결정

「감정평가에 관한 규칙」에 의하여 공시지가기준법에 의하되, 거래사례비교법 및 회귀분석법에 의하여 그 합리성이 인정된다. 따라서 1,130,000원/㎡으로 결정함.
(× 5,569.5 = 6,293,535,000원)

Ⅲ. (물음 2) 건물 및 기계기구의 감정평가

1. 건물의 평가액

500,000 × 30/40(관찰감가) ≒ 375,000원/㎡(3,304,238,000원)

2. 기계기구의 평가액

(1) 재조달원가

($3,742,444 × 0.726 × 1.02612 × 1,420) × (1 + 0.05 − 0.05 × 0.5(감면) +

USD → EUR *EUR → KRW*

0.05 × 0.5 × 0.2(농특세) + 0.1) ≒ 4,473,597,000원

(2) 기계기구의 평가액 : 4,473,597,000 × $0.15^{2/15}$ ≒ 3,473,780,000원

3. 건물 및 기계기구의 평가액

3,304,238,000 + 3,473,780,000 = 6,778,018,000원

Ⅳ. (물음 3) 공장의 감정평가액

6,293,535,000 + 6,778,018,000 = 13,071,553,000원

ANSWER 68 20점

Ⅰ. 평가개요

1. 본건은 임대료에 대한 일반거래 목적 감정평가로서 2025년 1월 1일을 기준시점으로 2025년 1월 1일~2025년 12월 31일까지 실질임대료를 평가함.
2. 「감정평가에 관한 규칙」 제22조에 의거하여 임대사례비교법으로 평가하되, 다른 방법에 의한 시산가액 검토는 생략함.

Ⅱ. 사례선정

본건과 물적 유사성(사무실) 사례로서 시점수정 등 가능한 사례 1을 선정함.

Ⅲ. 사례의 실질임대료

70,000,000 × 0.063* + 10,100,000 × 12月 ≒ 125,610,000원(245,141원/㎡)

*전월세전환율의 평균적 수치를 활용한다.

Ⅳ. 시점수정치($\frac{2024.11.}{2024.01.}$, 생산자물가지수)

$$\frac{103.14}{101.52} \fallingdotseq 1.01596$$

Ⅴ. 지역요인 비교치

인근지역으로서 대등함. 1.000

Ⅵ. 개별요인 비교치

1. 3층

$$\underset{외}{0.90} \times \underset{내}{0.95} \times \underset{호}{\frac{0.46}{0.46}} \times \underset{기}{1.00} \fallingdotseq 0.855$$

2. 4층

$$\underset{외}{0.90} \times \underset{내}{0.95} \times \underset{호}{\frac{0.42}{0.46}} \times \underset{기}{1.00} \fallingdotseq 0.781$$

Ⅶ. 본건 실질임대료

1. 3층 실질임대료 산정

245,141 × 1.000 × 1.01596 × 1.000 × 0.855 ≒ 213,000원/㎡

2. 4층 실질임대료 산정

245,141 × 1.000 × 1.01596 × 1.000 × 0.781 ≒ 195,000원/㎡

3. 임대료 결정

구분(층)	결정단가(원/m^2)	면적(m^2)	비준임대료(원)
3층	213,000	222.2	47,200,000
4층	195,000	197.7	38,600,000

Ⅰ. 평가개요

임대료 감정평가로서 기준시점은 임대기산일인 2025년 6월 1일이다.

Ⅱ. 임대사례비교법에 의한 시산임대료

1. 사례의 선택 : 사무실에 대한 임대사례로서 본건과 임대료형성요인(사용승인일)이 유사한 사례 A를 선택한다.

2. 사례의 실질임대료

(50,000,000 × 0.06 + 2,500,000 × 12) ÷ 300(전유면적) = @110,000

3. 시점수정치(임대료변동률, 2024.10.01.~2025.06.01.)

1.0075 × 1.0072 × (1+0.0072×62/90) ≒ 1.01979

4. 임대료형성요인비교치 : 1.00(외부) × 1.00(내부) × 45/50(층별) × 1.00(기타) = 0.900

5. 비준임대료

@110,000 × 1.000(사정) × 1.01979 × 0.900 ≒ @101,000(×200 = 20,200,000원)

Ⅲ. 적산법에 의한 시산임대료

1. 기초가액

(1) 전체 토지, 건물의 가치

2,000,000 × 500 + 1,400,000 × 40/50 × 1,500 = 2,680,000,000

(2) 평가대상 부분의 효용비율(층별 면적 동일하므로 효용비만 비교)

$$\frac{45}{100+50+45+45} \fallingdotseq 0.1875$$

(3) 기초가액 : 2,680,000,000 × 0.1875 = 502,500,000원

2. 적산임대료 : 502,500,000 × 0.035 × 1.1 ≒ 19,346,000원

Ⅳ. 결정

임대사례비교법에 의하여 결정하되, 적산법에 의하여 그 합리성이 인정된다(20,200,000원).

*보증금 20,000,000원 설정 시의 월임대료
(20,200,000 - 20,000,000 × 0.06) ÷ 12월 ≒ 1,583,000원

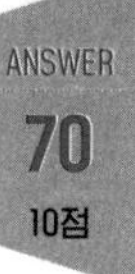

1. 평가개요

- 본건은 토지에 대한 임대료 평가로서 「감정평가에 관한 규칙」 제22조에 의한 적정한 임대사례가 인근에 없는바, 「감정평가에 관한 규칙」 제12조에 의하여 적산법을 적용한다.
- 기준시점은 임대의 기산일인 2025년 4월 10일이다.

2. 기초가액

(1) 비교표준지의 적부 : 일반상업지역, 상업용으로서 적정함

(2) 시점수정치(2025.1.1.~2025.4.10.) : 1.01381

(3) 지역요인 비교치 : 인근지역으로서 대등함. 1.000

(4) 개별요인 비교치 : 100/105 × 98/96 × 100/100 ≒ 0.972

(5) 그 밖의 요인비교치

$$\frac{3,420,000 \times 1.01381 \times 1.000 \times (105/100 \times 96/102 \times 100/100)}{2,500,000 \times 1.01381}$$

≒ 1.351(1.35로 결정함.)

(6) 토지의 감정평가액

2,500,000 × 1.01381 × 1.000 × 0.972 × 1.35 ≒ 3,330,000원/㎡
(× 2,000 = 6,660,000,000원)

3. 기대이율

상업용의 일시적 이용으로서 4.0%를 적용한다.

4. 필요제경비

6,660,000,000 × 0.04 × 0.2 = 53,280,000원

5. 적산임료

6,660,000,000 × 0.04 + 53,280,000 = 319,680,000원

ANSWER 71 15점

Ⅰ. 평가개요

1. 본건은 S공단 내 위치하는 H가스공사 연료설치 토지임대료 감정평가로 기준시점은 2025년 7월 4일(임대개시시점)임.

2. 「감정평가에 관한 규칙」 제22조에 의거 임대사례비교법이 원칙이나 수집된 인근의 임대사례는 '토지, 건물' 임대사례로서 토지만의 임대사례 포착이 어려운바, 적산법을 기준함.

Ⅱ. 기초가액 결정

1. 처리방침

임대대상만을 부분평가하며, 공시지가기준법에 의한다. 표준지 A는 준공업지역, 공업기타로서 본건과 유사하여 비교표준지로 선정함.

2. 시점수정치(2025.1.1.~2025.7.4. 안산시 D구 지가변동률) : 1.01848

3. 지역요인 비교치

인근지역으로서 대등함. 1.000

4. 개별요인 비교치(본건/비교표준지)

평가대상부분 개별요인을 기준(소로한면, 정방형)

$$\frac{95}{100} \times 0.85 \times 1.00 \times (\frac{100}{80} \times \frac{100}{100}) \times 0.85 \times 1.00 ≒ 0.858$$

가 접 환 획 행 기

5. 그 밖의 요인보정치(비교표준지 기준)

(1) 평가선례 선정

준공업지역, 공업기타 등 제시된 W동 823-1 평가선례를 선정함.

(2) 시점수정치(2025.5.16.~2025.7.4. 안산시 D구 지가변동률) : 1.00298

(3) 지역요인 비교치

인근지역으로서 대등함. 1.000

(4) 개별요인 비교치

$$\frac{100}{95} \times 1.00 \times 1.00 \times (\frac{80}{85} \times \frac{100}{100}) \times 1.00 \times 1.00 ≒ 0.991$$

가 접 환 획 행 기

(5) 격차율 산정

$$\frac{884{,}000 \times 1.00298 \times 1.000 \times 0.991}{815{,}000 \times 1.01848} \fallingdotseq 1.058$$

상기와 같이 산출된바 1.05로 결정함.

6. 토지의 평가액

815,000 × 1.01848 × 1.000 × 0.858 × 1.05 ≒ 748,000원/㎡(684,420,000원)

Ⅲ. 임대료 결정

1. 기대이율

기타 공장기준, 표준적 이용(최유효이용) 토지로서 중위치 3% 적용함.

2. 필요제경비

684,420,000 × 0.003 ≒ 2,053,000원

3. 임대료 결정

684,420,000 × 0.03 + 2,053,000 ≒ 22,586,000원

4. 보증금 설정 시(50,000,000) 임대료

: 전월세전환율 활용함.

22,586,000 − 50,000,000 × 0.08 ≒ 18,586,000원(월 약 1,550,000원)

Ⅰ. 평가개요

임대료의 감정평가로서 「감정평가에 관한 규칙」 제22조에 의하여 임대사례비교법에 의하되 적산법에 의하여 합리성을 검토한다(기준시점은 임대차계약일인 2025년 7월 15일임).

Ⅱ. 임대사례비교법에 의한 임대료

1. 임대사례의 선정

사무실로서 임대료 형성요인이 유사한 임대사례 2를 선정한다.

2. 임대사례의 실질임대료

30,000,000 × 0.06 + 1,200,000 × 12 = 16,200,000원(@64,800)

3. 시점수정치(2025.01.27.~2025.07.15.)

해당 권역의 임대가격지수를 기준함.

$$(1+0.0013\times\frac{65}{91})\times1.0009\times(1+0.0009\times\frac{15}{91}) \fallingdotseq 1.00198$$

4. 임대료형성요인 비교치

1.05(외부) × 1.05*(내부) × 1.10(호별)** ≒ 1.213

*사용승인일 기준

**층별효용비 비교(2층/3층) : 55/50

5. 비준임대료

64,800 × 1.000(사정) × 1.00198 × 1.213 ≒ @79,000

(× 250 = 19,750,000원)

Ⅲ. 적산법에 의한 임대료

1. 기초가액

(1) 토지, 건물 전체의 가액

2,500,000 × 400 + (900,000 × 42/50 × 900) = 1,680,400,000원

(2) 2층부분의 층별효용비율

$$\frac{250\times55}{200\times40+150\times100+250\times55+300\times50} \fallingdotseq 26.6\%$$

(3) 기초가액

1,680,400,000 × 0.266 ≒ 447,000,000원

2. 기대이율 : 업무용, 표준적 이용 기준 중위치인 3.25% 적용

3. 필요제경비

447,000,000 × 0.0325 × 0.1 + (900,000 × 250 × 1/50) ≒ 5,950,000원

4. 적산임대료

447,000,000 × 0.0325 + 5,950,000 ≒ 20,478,000원

Ⅳ. 임대료 평가액 결정 및 배분

1. 임대료 평가액

「감정평가에 관한 규칙」 제22조에 의하여 임대사례비교법으로 결정하되, 적산법에 의하여 합리성이 인정됨(19,750,000원).

2. 월임대료

[19,750,000 - 10,000,000(보증금) × 0.06] ÷ 12월 ≒ 1,596,000원/월

ANSWER
73
40점

Ⅰ. 평가개요

본건은 기준시점 2025년 8월 9일 기준한 일반거래 목적의 공장평가로서 과잉유휴시설을 분류하여 평가한다.

Ⅱ. 토지

가. 조성지(공장용지)

1. 공시지가기준법

(1) 비교표준지 선정 : 용도지역 및 이용상황이 동일한 기호 2를 선정함.

(2) 시점수정치(2025.1.1.~2025.8.9. H구 공업지역 지가변동률)

$1.01336 \times (1 + 0.00085 \times \frac{40}{30}) \fallingdotseq 1.01451$

(3) 지역요인 비교치 : 인근지역으로서 대등함. 1.000

(4) 개별요인 비교치 : $\frac{90 \times 1.1}{90} \times \frac{90}{100} \times \frac{100}{100} \times \frac{1}{0.8 + 0.2 \times 0.8} \fallingdotseq 1.031$

(5) 공시지가기준가액

1,800,000 × 1.01451 × 1.000 × 1.031 × 1.00 ≒ 1,880,000원/㎡

2. 조성원가법

(1) 조성완료 시 토지가격(2023.3.31.)

① 소지매입비 : @1,170,000 × 1.31563* ≒ @1,540,000

*2018.9.1.~2023.3.31. 투하자본수익률 : 1.005^{55}

② 공사비 등 : @150,000 × 1.1(이윤) × 1/3 × ($1.005^{54} + 1.005^{27} + 1$) ≒ @190,000

③ 조성완료 시 토지가치 : @1,730,000

(2) 조성원가법에 의한 평가액

@1,730,000 × 1.05162 ≒ 1,820,000원/㎡
시*

*2023.3.31.~2025.8.9. 지가변동률

3. 거래사례비교법

(1) 사례선정

일반공업지역, 공업용 등 최근 3년 이내 사례로 사정보정이 가능한 사례 2를 선정함.

(2) 사례토지가격

$4,500,000,000 \times 0.6 \times 1/3 \times (1+\frac{1}{1.005^{6}}+\frac{1}{1.005^{12}}) \fallingdotseq 2,621,181,000$원

(1,872,272원/㎡)

(3) 시점수정치(2024.1.1.~2025.8.9. H구 공업지역 지가변동률)

$1.02665 \times 1.01336 \times (1+0.00085 \times \frac{40}{30}) \fallingdotseq 1.04155$

(4) 지역요인 비교치

인근지역으로서 대등함. 1.000

(5) 개별요인 비교치

$\frac{90 \times 1.1}{80 \times 1.1} \times \frac{90}{100} \times \frac{100}{100} \fallingdotseq 1.013$

(6) 비준가액

1,872,272 × 1.000 × 1.04155 × 1.000 × 1.013 ≒ 1,980,000원/㎡

4. 토지가액 결정

공시지가기준법에 의한 시산가액이 다른 평가방법에 의한 시산가액에 의하여 합리성이 지지되는 것으로 판단되는 바, 공시지가기준법에 의한 시산가액인 1,880,000원/㎡으로 결정한다(2,256,000,000원).

나. 미조성지

1. 공시지가기준법

(1) 비교표준지 선정 : 용도지역이 동일하고 이용상황이 잡종지인 표준지 7을 선정한다.

(2) 시점수정치(2025.1.1.~2025.8.9. H구 공업지역 지가변동률) : 1.01451

(3) 지역요인 비교치 : 인근지역으로서 대등함. 1.000

(4) 개별요인 비교치 : $\frac{90}{90} \times \frac{90}{100} \times \frac{90}{90} \fallingdotseq 0.900$

(5) 공시지가기준가액

1,250,000 × 1.01451 × 1.000 × 0.900 × 1.00 ≒ 1,140,000원/㎡

2. 거래사례비교법

인근지역에 적절한 거래사례가 포착되지 않아 합리성 검토를 생략한다(본건의 매매사례는 거래사례비교법의 자료로 활용하지 않는다).

3. 토지가액 결정

공시지가기준법에 의한 시산가액인 1,140,000원/㎡으로 결정한다(1,368,000,000원).

Ⅲ. 건물

가. 재조달원가 산정

1. 공장

(1) 직접법(2021.10.1.~2025.8.9.)

500,000 × 1.24295 ≒ 621,000원/㎡
시*

*시점수정치($\frac{2025.6}{2021.9}$, 생산자물가지수) : $\frac{115.11}{92.61}$

(2) 결정

표준적 건축비와 장부상 건축비가 유사한 등 621,000원/㎡으로 결정한다.

2. 사무실 및 기숙사

(1) 사무실 : 600,000 × 1.050 = 630,000원/㎡

(2) 기숙사 : 650,000 × 0.900 = 585,000원/㎡

나. 적산가액(정액법, 만년감가, 잔가율 10%)

1. 공장

621,000 × (1 − 0.9 × $\frac{3}{50}$) ≒ 587,000원/㎡(469,600,000원)

2. 사무실 및 기숙사

(1) 사무실 : 630,000 × (1 − 0.9 × $\frac{3}{40}$) ≒ 587,000원/㎡(117,400,000원)

(2) 기숙사 : 585,000 × (1 − 0.9 × $\frac{2}{37+2}$) ≒ 558,000원/㎡(111,600,000원)

3. 건물가액

469,600,000 + 117,400,000 + 111,600,000 ≒ 698,600,000원

Ⅳ. 기계

가. 유휴시설 판단(성형 → 조형 → 검사)

2,000 × 12 → 3,000 × 8 → 4,000 × 6 : (24,000개/분)

∴ 조형기 2대가 과잉시설로 판단됨.

나. 기계평가

1. 성형기

$12,000,000 \times \underset{*}{1.16662} \times 0.1^{1/15} \fallingdotseq 12,000,000$원/대

$* \ \dfrac{2025.6}{2023.8}$, 생산자물가지수 $= \dfrac{115.11}{98.67}$

2. 조형기

$10,000,000 \times \underset{*}{1.18438} \times 0.15^{2/15} \fallingdotseq 9,200,000$원/대

$* \ \dfrac{2025.6}{2023.6}$, 생산자물가지수 $= \dfrac{115.11}{97.19}$

3. 검사기

(1) 재조달원가(신고일자기준, 현행관세기준)

① 도입가격 : $30,000 \times 143 \times 1.1512 \times 720/100 \fallingdotseq 35,600,000$원

② 재조달원가 : $35,600,000 \times (1 + 0.05 + 0.05 + 0.03) \fallingdotseq 40,200,000$원/대

(2) 적산가액

$40,200,000 \times 0.1^{2/10} \fallingdotseq 25,400,000$원/대

4. 기계평가액

$12,000,000 \times 12 + 9,200,000 \times 8 + 25,400,000 \times 6 \fallingdotseq 370,000,000$원

5. 과잉유휴시설

$9,200,000 \times 0.3 \times 2$대 $= 5,520,000$원

V. 무형고정자산(영업권)

가. 대상 공장 순이익

$300,000,000 \times 5 \times (1 - 0.7) = 450,000,000$원

나. 초과순수익

$450,000,000 \times 0.1 = 45,000,000$원

다. 영업권 평가

$$45,000,000 \times \frac{1.1^5 - 1}{0.1 \times 1.1^5} \fallingdotseq 171,000,000\text{원}$$

Ⅵ. 물건별 평가액 합계

가. 공장부문

2,256,000,000(토지) + 698,600,000(건물) + 370,000,000(기계) + 171,000,000 (영업권) = 3,495,600,000원

나. 과잉부문평가액

1,368,000,000 + 5,520,000 = 1,373,520,000원

다. 감정평가액 결정

3,495,600,000 + 1,373,520,000 = 4,869,120,000원

PART 03

부록편

PART 03

부록편

제1절 감정평가액의 산출근거 및 결정의견(토지/건물)

1. 감정평가의 목적

본건은 □□도 □□시 ○○면 ○○리 소재 "○○○○마을" 남측 인근에 소재하는 부동산(토지·건물)에 대한 담보목적을 위한 감정평가 건입니다.

2. 감정평가기준 및 근거

본 평가는 「감정평가 및 감정평가사에 관한 법률」, 「감정평가에 관한 규칙」 등 관계법령과 감정평가이론에 근거하여 평가하였습니다.

3. 기준가치 및 감정평가조건

가. 기준가치

본건은 대상물건이 통상적인 시장에서 충분한 기간 동안 거래를 위하여 공개된 후 그 대상물건의 내용에 정통한 당사자 사이에 신중하고 자발적인 거래가 있을 경우 성립될 가능성이 가장 높다고 인정되는 대상물건의 가액인 "시장가치"를 기준하여 평가하였습니다.

나. 감정평가조건

감정평가에 별다른 조건은 없습니다.

4. 감정평가의 3방식

가. 원가방식

1) 원가방식

"원가방식"이란 원가법 및 적산법 등 비용성의 원리에 기초한 방식입니다.

2) 원가법

"원가법"이란 대상물건의 재조달원가에 감가수정을 하여 대상물건의 가액을 산정하는 감정평가방법을 말하며, "적산가액"이란 원가법에 따라 산정된 가액을 말합니다.

3) 적산법

"적산법"이란 대상물건의 기초가액에 기대이율을 곱하여 산정된 기대수익에 대상물건을 계속하여 임대하는 데 필요한 경비를 더하여 대상물건의 임대료를 산정하는 감정평가방법을 말하며, "적산임대료"란 적산법에 따라 산정한 임대료를 말합니다.

나. 비교방식

1) 비교방식

"비교방식"이란 거래사례비교법, 임대사례비교법 등 시장성의 원리에 기초한 감정평가방식 및 「감정평가 및 감정평가사에 관한 법률」 제3조 제1항에 따른 공시지가기준법을 말합니다.

2) 거래사례비교법

"거래사례비교법"이란 대상물건과 가치형성요인이 같거나 비슷한 물건의 거래사례와 비교하여 대상물건의 현황에 맞게 사정보정, 시점수정, 가치형성요인 비교 등의 과정을 거쳐 대상물건의 가액을 산정하는 감정평가방법을 말하며, "비준가액"이란 거래사례비교법에 따라 산정된 가액을 말합니다.

3) 임대사례비교법

"임대사례비교법"이란 대상물건과 가치형성요인이 같거나 비슷한 물건의 임대사례와 비교하여 대상물건의 현황에 맞게 사정보정, 시점수정, 가치형성요인 비교 등의 과정을 거쳐 대상물건의 임대료를 산정하는 감정평가방법을 말하며, "비준임대료"란 임대사례비교법에 따라 산정된 임대료를 말합니다.

4) 공시지가기준법

"공시지가기준법"이란 대상토지와 가치형성요인이 같거나 비슷하여 유사한 이용가치를 지닌다고 인정되는 비교표준지의 공시지가를 기준으로 대상토지의 현황에 맞게 시점수정, 지역요인 및 개별요인 비교, 그 밖의 요인의 보정을 거쳐 대상토지의 가액을 산정하는 감정평가방법을 말합니다.

다. 수익방식

1) 수익방식

"수익방식"이란 수익환원법 및 수익분석법 등 수익성의 원리에 기초한 감정평가방식을 말합니다.

2) 수익환원법

"수익환원법"이란 대상물건이 장래 산출할 것으로 기대되는 순수익이나 미래의 현금흐름을 환원하거나 할인하여 대상물건의 가액을 산정하는 감정평가방법을 말하며, "수익가액"이란 수익환원법에 따라 산정된 가액을 말합니다.

3) 수익분석법

"수익분석법"은 일반기업 경영에 의하여 산출된 총수익을 분석하여 대상물건이 일정한 기간에 산출할 것으로 기대되는 순수익에 대상물건을 계속하여 임대하는 데 필요한 경비를 더하여 대상물건의 임대료를 산정하는 감정평가방법을 말하며, "수익임대료"란 수익분석법에 따라 산정된 임대료를 말합니다.

5. 감정평가방법의 적용

가. 토지 감정평가방법의 적용

「감정평가 및 감정평가사에 관한 법률」 제3조, 「감정평가에 관한 규칙」 제12조 및 제14조에 따라 공시지가기준법으로 산정한 시산가액을 거래사례비교법으로 산정한 시산가액과 비교하여 합리성을 검토하였습니다.

나. 건물 감정평가방법의 적용

「감정평가에 관한 규칙」 제12조 및 제15조에 따라 건물의 구조, 규모, 용재, 시공의 정도, 관리 및 이용상태, 경과연수 등 제 현상을 고려하여 원가법을 주 방법으로 평가하였으며, 건물의 경우 거래사례비교법이나 수익환원법 등 다른 감정평가방법을 적용하는 것이 곤란하거나 부적절하여 주된 방식에 대한 합리성 검토는 생략하였습니다.

6. 기준시점의 결정 및 그 이유

기준시점은 「감정평가에 관한 규칙」 제9조 제2항에 의하여 가격조사를 완료한 일자인 202□년 10월 27일입니다.

7. 실지조사 실시기간 및 내용

가. 실지조사 실시기간

본건의 실지조사 실시기간은 202□년 10월 24일 ~ 202□년 10월 27일입니다.

나. 실지조사 내용

자세한 실지조사 내용은 후첨 "건물이용상태 및 임대내역", "토지감정평가요항표" 및 "건물감정평가요항표" 등을 참고 바랍니다.

8. 기타사항

가. 본건 관할 세무서상 임대내역은 열람치 아니하였으니 업무진행 시 참고바랍니다.

나. 본건 기호 2 토지 지상에 제시 외 건물 기호ㄱ)(화장실) 및 ㄴ)(기숙사)이 소재하고 있으나 구조, 규모 및 이용상황 등을 고려할 때 본건 담보물의 사용, 수익 및 처분에 별다른 영향은 없을 것으로 판단됩니다.
(후면 "지적 및 건물개황도" 참조)

다. 본건 기호 (가)건물은 일반건축물대장상 202□.03.07일자로 위반 건축물[위반일자 : 202□년/위반 내용 : 근생(화장실) 1층 무단증축(5.04m^2), 근생(휴게실) 2층 무단증축(24.48m^2)]로 등재되어 있는바 업무진행 시 참고바랍니다.

I. 감정평가대상물건의 개요1)

1. 토지2)

기호(1)		소재지 : □□도 □□시 □□면 □□리 ***-*				
지목	이용상황	용도지역	면적(m^2)	도로교통	형상	지세
대	상업용	계획관리	170	세로(가)	삼각형	평지
기호(2)		소재지 : □□도 □□시 □□면 □□리 ***-*				
지목	이용상황	용도지역	면적(m^2)	도로교통	형상	지세
대	상업용	계획관리	376	세로(가)	사다리	평지

2. 건물3)

기호(가)		구조 : 경량철골구조 경사판넬지붕				
건축면적(m^2)	건폐율(%)	연면적(m^2)	용적률(%)	층수	주용도	사용승인일자
66	38.82	66	38.82	지상 1층	제2종 근린생활시설	202□.06.08.
기호(나)		구조 : 목구조 기타지붕(목구조)				
건축면적(m^2)	건폐율(%)	연면적(m^2)	용적률(%)	층수	주용도	사용승인일자
187.11	49.76	268.84	71.5	지상 2층	제2종 근린생활시설 (일반음식점)	201□.03.08.

1) 등기사항전부증명서 및 건축물대장 등을 참고하여 기재하였습니다.
2) 자세한 사항은 후첨 "토지감정평가요항표" 참조바랍니다.
3) 자세한 사항은 후첨 "건물감정평가요항표" 참조바랍니다.

II. 감정평가액의 산정

1. 토지감정평가액의 산정

가. 공시지가기준법의 적용

1) 개요

인근지역 내에 소재하는 비교표준지의 공시지가를 기준으로 하여 지가변동률로 시점수정하고, 위치, 인근지대 상황, 접근성, 획지의 형태 및 면적, 도로 및 교통상황, 공법상 제한사항, 일반수요, 유용성 등의 제반 가치형성요인을 종합 참작하여 산정하였습니다.

2) 비교표준지의 선정

가) 비교표준지의 선정기준

① 용도지역・지구・구역 등 공법상 제한이 같거나 유사할 것
② 실제 이용상황 등이 같거나 유사할 것
③ 주위환경 등이 같거나 유사할 것
④ 해당 또는 인접 시・군・구 안의 인근지역에 위치하며, 지리적으로 가능한 한 가까이 있을 것

이상의 선정기준을 종합적으로 고려하여 가장 적합한 표준지를 선정하였습니다.

나) 비교표준지의 선정

(202□.01.01. 기준)

구분	소재지	면적(m^2)	지목	용도지역	이용상황	형상지세	도로교통	공시지가(원/m^2)
A	□□리 88-4	530	대	계획관리	상업용	사다리 완경사	소로한면	775,000

3) 시점수정[4]

용도지역	지가변동률	계산식 및 시점수정치
□□도 □□시 계획관리지역 (2□.01.01.~2□.10.27.)	202□.01.01. ~ 202□.08.31. : 2.108 202□.08.01. ~ 202□.08.31. : 0.155	(1 + 0.02108) × (1 + 0.00155 × 57/31) ≒ 1.02399

4) 지역요인 비교

지역요인 비교에 관한 결정의견	비교치
본건과 표준지는 인근지역에 위치하여 지역요인은 상호 대등합니다.	1.00

4) 202□년 9월 이후 지가변동률 미고시로 202□년 8월 지가변동률을 연장 적용하였습니다.

5) 개별요인 비교

가) 개별요인 비교항목

조건	항목	세항목
가로조건	가로의 폭, 구조 등의 상태	폭, 포장, 보도, 계통 및 연속성
접근조건	상업지역 중심 및 교통시설과의 편의성	상업지역 중심과의 접근성
		인근 교통시설과의 거리및 편의성
환경조건	고객의 유동성과의 적합성	고객의 유동성과의 적합성
	인근환경	인근 토지의 이용상황
		인근 토지의 이용상황과의 적합성
	자연환경	지반, 지질 등
획지조건	면적, 접면, 너비, 깊이, 형상 등	면적
		접면너비
		깊이
		부정형지
		삼각지
		자루형 획지
		맹지
	방위, 고저 등	방위, 고저, 경사지
	접면도로 상태	각지, 2면획지, 3면획지
행정적 조건	행정상의 규제 정도	용도지역, 용적제한, 고도제한
		기타규제(입체이용제한 등)
기타조건	기타	장래의 동향, 기타

나) 개별요인의 비교

본건/표준지	가로	접근	환경	획지	행정	기타	계
기호(1,2)/A	0.92	1.00	1.00	1.00	1.00	1.00	0.920
비고	본건이 비교표준지 대비 접면도로의 폭에서 열세입니다.						

(비교치 : 소수점 넷째 자리 사사오입)

6) 그 밖의 요인보정

가) 개념 및 필요성

'그 밖의 요인보정'이란, 토지에 관한 평가를 함에 있어서 지가변동률, 생산자물가상승률, 지역요인 및 개별요인의 비교 외에 인근의 정상적인 거래사례 및 평가사례

PART 03

를 참작하여 보정하는 것으로 국토교통부 유권해석(건설부 토정 30241-36538, 1991.12.28.), 대법원 판례(1993.9.10, 92누16300; 2004.5.14, 2003다38207) 및 「감정평가에 관한 규칙」 제14조 제2항 등의 취지에 따라 시장가치 산정을 위해 필요합니다.

나) 산정방법

표준지의 공시지가 기준가격과 평가선례 또는 거래사례기준 표준지 가격과의 격차율을 검토하여 산정하되 인근지역의 거래가능시세 등을 고려하여 결정하였습니다.

$$\text{그 밖의 요인보정치} \fallingdotseq \frac{\text{평가선례(거래사례)기준 표준지 가격}}{\text{표준지의 기준시점 현재가격}}$$

- 평가선례(거래사례)기준 표준지 가격
  ≒ 평가선례(거래사례) × 시점수정 × 지역요인 × 개별요인
- 표준지의 기준시점 현재가격 ≒ 공시지가 × 시점수정

다) 그 밖의 요인보정치 산정

① 매매사례 및 평가선례

- 인근지역 내의 매매사례

기호	소재지	토지(m^2) / 건물(m^2)	용도지역 (이용상황)	토지단가 (원/m^2)	토지거래가액 (원)	사례 기준시점
1	□□리 87	727 / 456.53	계획관리 (상업용)	1,440,000	1,051,731,200	202□.07.07.

- 총 거래금액은 1,490,000,000원
- 총 거래금액 - 건물금액(456.53m^2 × 1,200,000원/m^2 × 36/45) = 토지금액
- 본건은 접면도로의 폭에서 열세입니다.

(출처 : 등기사항전부증명서 및 감정평가정보체계, 단가 : 유효숫자 넷째 자리에서 절사)

- 인근지역 내의 평가선례

기호	소재지	지목	면적(m^2)	용도지역 (이용상황)	토지단가 (원/m^2)	평가목적 / 사례기준시점
1	□□리 72-1	대	1,659	계획관리 (상업용)	1,050,000	담보 / 202□.03.02.
2	□□리 187-1	대	635	계획관리 (상업용)	1,200,000	담보 / 202□.07.13.

(출처 : 협회 감정평가정보)

② 그 밖의 요인보정치의 산정

사례는 표준지와 용도지역 및 이용상황 등이 동일 또는 유사하고 비교표준지와 비교가능성이 있는 〈평가선례 2〉를 선정합니다.

• 평가선례 2기준(표준지 A)

<table>
<tr><td rowspan="4">구분</td><td>평가선례 2</td><td colspan="2">시점수정*1</td><td>지역요인*2</td><td>개별요인*3</td><td colspan="2">산출금액</td><td>격차율</td></tr>
<tr><td>1,200,000</td><td colspan="2">1.00666</td><td>1.00</td><td>1.070</td><td colspan="2">1,292,551</td><td rowspan="3">1.629</td></tr>
<tr><td colspan="2">표준지공시지가</td><td colspan="3">시점수정</td><td colspan="2">산출금액</td></tr>
<tr><td colspan="2">775,000</td><td colspan="3">1.02399</td><td colspan="2">793,592</td></tr>
<tr><td rowspan="5">산정 내역</td><td>*1시점수정</td><td colspan="7">□□도 □□시 계획관리지역(2□.07.13.~2□.10.27.)</td></tr>
<tr><td>*2지역요인</td><td colspan="7">표준지와 평가선례는 인근지역 내에 위치하여 지역요인은 대등합니다(1.00).</td></tr>
<tr><td rowspan="3">*3개별요인</td><td>가로</td><td>접근</td><td>환경</td><td>획지</td><td>행정적</td><td>기타</td><td>격차율</td></tr>
<tr><td>1.07</td><td>1.00</td><td>1.00</td><td>1.00</td><td>1.00</td><td>1.00</td><td>1.070</td></tr>
<tr><td colspan="7">비교표준지는 선례대비 가로의 폭에서 우세합니다.</td></tr>
</table>

라) 인근지역의 지가수준

본건과 비교가능한 인근지역의 거래가능 지가수준은 다음과 같습니다.

토지용도	주위환경	가격수준(원/m^2)	도로조건	비고
상업용	지방도변 상가지대	1,200,000 내외	세로 변	–

마) 경매통계

지역	물건종류	기간	진행건수(건)	매각률(%)	매각가율(%)
□□도 □□시	대지	최근 1년	178	33.15	53.15
	근린시설	최근 1년	40	32.5	60.88

(출처 : 지지옥션)

바) 그 밖의 요인보정치의 결정

그 밖의 요인보정에 관한 결정의견	보정치
상기 유사 부동산의 가격수준 및 평가전례, 평가목적 등을 고려할 때 평가의 적정성을 기하기 위하여 그 밖의 요인보정치를 다음과 같이 결정합니다.	1.60

7) 공시지가기준법에 의한 토지단가

기호	공시지가 (원/m²)	시점수정	지역요인	개별요인	그 밖의 요인	산출단가 (원/m²)	적용단가 (원/m²)
1	775,000	1.02399	1.00	0.920	1.60	1,168,168	1,160,000
2	775,000	1.02399	1.00	0.920	1.60	1,168,168	1,160,000

(적용단가 : 유효숫자 넷째 자리에서 절사)

나. 거래사례비교법의 적용

1) 개요

대상토지와 가치형성요인이 같거나 유사한 토지의 거래사례와 비교하여 대상토지의 현황에 맞게 사정보정, 시점수정, 가치형성요인 등을 종합 참작하여 산정하였습니다.

2) 거래사례의 선정

가) 인근 거래사례의 분석

기호	소재지	토지(m²) / 건물(m²)	용도지역 (이용상황)	토지단가 (원/m²)	토지거래가액 (원)	사례 기준시점
1	□□리 87	727 / 456.53	계획관리 (상업용)	1,440,000	1,051,731,200	202□.07.07.

• 총 거래금액은 1,490,000,000원

• 총 거래금액 - 건물금액(456.53m² × 1,200,000원/m² × 36/45) = 토지금액

• 본건은 접면도로의 폭에서 열세입니다.

(출처 : 등기사항전부증명서 및 감정평가정보체계, 단가 : 유효숫자 넷째 자리에서 절사)

나) 거래사례의 선정

거래사례 선정에 관한 결정의견
상기 거래사례 중 위치적, 물적 유사성이 있고 사정보정, 지역요인 및 개별요인 등 가격형성요인에서 가장 비교가능성이 높은 〈거래사례 1〉을 선정하였습니다.

3) 사정보정

사정보정에 관한 결정의견	보정치
거래사례의 거래가격과 최근 시세수준을 감안할 때, 거래당사자 간의 특수한 사정이나 개별적인 동기가 없는 것으로 판단됩니다.	1.00

4) 시점수정치[5)]

용도지역	지가변동률	계산식 및 시점수정치
□□도 □□시 계획관리지역 (2□.07.07.~ 2□.10.27.)	202□.07.01. ~ 202□.07.31. : 0.281 202□.08.01. ~ 202□.08.31. : 0.112 202□.09.01. ~ 202□.09.30. : 0.035 202□.10.01. ~ 202□.10.31. : 0.062 202□.11.01. ~ 202□.11.30. : 0.259 202□.12.01. ~ 202□.12.31. : 0.118 202□.01.01. ~ 202□.08.31. : 2.108 202□.08.01. ~ 202□.08.31. : 0.155	(1 + 0.00281 × 25/31) × (1 + 0.00112) × (1 + 0.00035) × (1 + 0.00062) × (1 + 0.00259) × (1 + 0.00118) × (1 + 0.02108) × (1 + 0.00155 × 57/31) ≒ 1.03234

5) 지역요인 비교

지역요인 비교에 관한 결정의견	비교치
본건과 거래사례는 인근지역에 위치하여 지역요인은 상호 대등합니다.	1.00

6) 개별요인 비교

본건/거래사례	가로조건	접근조건	환경조건	획지조건	행정적 조건	기타조건	비교치
기호(1, 2) /거래사례 1	0.92	1.00	1.00	1.00	1.00	1.00	0.920
• 본건은 사례 대비 접면도로의 폭에서 열세입니다.							

(비교치 : 소수점 넷째 자리 사사오입)

7) 거래사례비교법에 의한 토지단가

기호	거래사례 (원/m^2)	사정보정	시점수정	지역요인	개별 요인	산출단가 (원/m^2)	적용단가 (원/m^2)
1	1,440,000	1.00	1.03234	1.00	0.920	1,367,644	1,360,000
2	1,440,000	1.00	1.03234	1.00	0.920	1,367,644	1,360,000

(적용단가 : 유효숫자 넷째 자리에서 절사)

다. 시산가액의 조정 및 토지가액의 결정

대상물건의 감정평가액을 결정하기 위하여 「감정평가에 관한 규칙」 제12조에 따라 어느 하나의 감정평가방법을 적용하여 산정(算定)한 시산가액(試算價額)을 제11조 각 호의 감정평가방식 중 다른 감정평가방식에 속하는 하나 이상의 감정평가방법으로 산출한 시산가액과 비교하여 합리성을 검토한 결과, 주된 방법에 따른 시산가액의 합리성이 인정되므

5) 202□년 9월 이후 지가변동률 미 고시로 202□년 8월 지가변동률을 연장 적용하였습니다.

로 제1항 본문 및 「감정평가에 관한 규칙」 제14조 제1항에 따라 공시지가기준법에 의하여 산정된 토지단가로 결정하였습니다.

기호	공시지가기준 단가(원/m²)	거래사례기준 단가(원/m²)	결정단가 (공시지가)	면적(m²)	감정평가액(원)
1	1,160,000	1,360,000	1,160,000	170	197,200,000
2	1,160,000	1,360,000	1,160,000	376	436,160,000

2. 건물 감정평가액의 산정

가. 개요

본건 건물의 설계 및 시공의 질, 표준적 건축단가 및 기타 개별적 조건, 감정목적 등 제반사항을 종합적으로 고려하여 신축 또는 유사한 물건을 재취득하는 데 필요한 재조달원가를 결정한 후, 감가수정을 행하여 기준시점 현재의 건물가격을 결정하였습니다.

기호(가)	소재지 : □□도 □□시 □□면 □□리 ***-* 소재	
구조	경량철골구조 경사판넬지붕	
층수	지상 1층	
사용승인일	202□.06.08.	
면적(m²)	공부면적	사정면적
	66	66
주용도	제2종근린생활시설	
부대설비	위생 및 급배수설비 등	

기호(나)	소재지 : □□도 □□시 □□면 □□리 ***-* 소재	
구조	목구조 기타지붕	
층수	지상 2층	
사용승인일	202□.03.08.	
면적(m²)	공부면적	사정면적
	268.84	268.8
주용도	제2종근린생활시설(일반음식점)	
부대설비	위생 및 급배수설비 등	

나. 재조달원가의 산정

1) 건물신축단가표

분류번호	용도	구조	202□년 기준		
			급수	표준단가(원/m²)	내용연수
3-1-6-9	점포 및 상가	철골조 평지붕	3	924,000	40
3-1-5-9	점포 및 상가	철근콘크리트조 평지붕	2	903,000	50

2) 재조달원가의 결정

본건 건물의 구조, 설계 및 시공의 질, 표준적 신축단가 및 상기 부대설비와 본건의 개별적 특성, 감정목적 등 제반사항을 종합적으로 고려하여 대상건물의 재조달원가를 다음과 같이 결정하였습니다.

기호	층	구조	이용상황	재조달원가(원/m²)
(가)	1층	경량철골구조	상업용	500,000
(나)	1층	목구조	상업용	1,100,000

다. 감가수정률 결정

기호	구조	전체 내용연수	경과연수		잔존 연수	잔존 가치율(%)
			실제	유효		
(가)	경량철골구조	40	5	5	35	87.5
(나)	목구조	40	13	13	27	67.5
기타결정의견	-					

라. 적용단가의 결정 및 감정평가액

구분	층	이용상황	재조달원가 (원/m²)	잔존 가치율(%)	적용단가 (원/m²)	사정면적 (m²)	감정평가액 (원)
(가)	1층	상업용	500,000	87.5	437,000	66	28,842,000
(나)	1층	상업용	1,100,000	67.5	742,000	268.8	199,449,600
합계		228,291,600					

3. 감정평가액의 산정

구분	적용단가(원/m²)	사정면적(m²)	감정평가액(원)
기호 1 토지	1,160,000	170	197,200,000
기호 (가) 건물	437,000	66	28,842,000
소계		226,042,000	
기호 2 토지	1,160,000	376	436,160,000
기호 (나) 건물	742,000	268.8	199,449,600
소계		635,609,600	
합계		861,651,600	

III. 감정평가액의 결정 및 결정의견

1. 감정평가액

구분	적용단가(원/m²)	사정면적(m²)	감정평가액(원)
토지	1,160,000	546	633,360,000
건물	-	334.8	228,291,600
합계		861,651,600	

2. 결정의견

상기한 가격자료에 의해 표준지공시지가를 기준으로 하되 거래사례비교법으로 그 합리성을 검토하여 산정한 토지가격과 원가법에 의한 건물가격의 적정성이 인정되는 바, 토지가격과 건물가격을 합산한 금액을 대상부동산의 평가액으로 결정하였습니다.

제2절 감정평가액의 산출근거 및 결정의견(집합건물)

1. 감정평가의 목적

본건은 ㅁㅁ시 ㅁㅁ구 ㅁㅁ동 소재 "○○역(○호선)" 남동측 인근에 소재하는 ㅁㅁㅁ 제지하 1층 제B101호 외 10개호로서, ㅁㅁ은행 ○○역지점의 담보목적을 위한 감정평가 건입니다.

2. 감정평가의 근거

본 평가는 「감정평가 및 감정평가사에 관한 법률」, 「감정평가에 관한 규칙」 등 관계법령과 감정평가이론에 근거하여 평가하였습니다.

3. 기준가치 및 감정평가조건

가. 기준가치

본건은 대상물건이 통상적인 시장에서 충분한 기간 동안 거래를 위하여 공개된 후 그 대상물건의 내용에 정통한 당사자 사이에 신중하고 자발적인 거래가 있을 경우 성립될 가능성이 가장 높다고 인정되는 대상물건의 가액인 "시장가치"를 기준하여 평가하였습니다.

나. 감정평가조건

감정평가에 별다른 조건은 없습니다.

4. 감정평가의 3방식

가. 원가방식

1) 원가방식

"원가방식"이란 원가법 및 적산법 등 비용성의 원리에 기초한 방식입니다.

2) 원가법

"원가법"이란 대상물건의 재조달원가에 감가수정을 하여 대상물건의 가액을 산정하는 감정평가방법을 말하며, "적산가액"이란 원가법에 따라 산정된 가액을 말합니다.

3) 적산법

"적산법"이란 대상물건의 기초가액에 기대이율을 곱하여 산정된 기대수익에 대상물건을 계속하여 임대하는 데 필요한 경비를 더하여 대상물건의 임대료를 산정하는 감정평가방법을 말하며, "적산임대료"란 적산법에 따라 산정한 임대료를 말합니다.

나. 비교방식

1) 비교방식

"비교방식"이란 거래사례비교법, 임대사례비교법 등 시장성의 원리에 기초한 감정평가방식 및 「감정평가 및 감정평가사에 관한 법률」 제3조 제1항에 따른 공시지가기준법을 말합니다.

2) 거래사례비교법

"거래사례비교법"이란 대상물건과 가치형성요인이 같거나 비슷한 물건의 거래사례와 비교하여 대상물건의 현황에 맞게 사정보정, 시점수정, 가치형성요인 비교 등의 과정을 거쳐 대상물건의 가액을 산정하는 감정평가방법을 말하며, "비준가액"이란 거래사례비교법에 따라 산정된 가액을 말합니다.

3) 임대사례비교법

"임대사례비교법"이란 대상물건과 가치형성요인이 같거나 비슷한 물건의 임대사례와 비교하여 대상물건의 현황에 맞게 사정보정, 시점수정, 가치형성요인 비교 등의 과정을 거쳐 대상물건의 임대료를 산정하는 감정평가방법을 말하며, "비준임대료"란 임대사례비교법에 따라 산정된 임대료를 말합니다.

4) 공시지가기준법

"공시지가기준법"이란 대상토지와 가치형성요인이 같거나 비슷하여 유사한 이용가치를 지닌다고 인정되는 비교표준지의 공시지가를 기준으로 대상토지의 현황에 맞게 시점수정, 지역요인 및 개별요인 비교, 그 밖의 요인의 보정을 거쳐 대상토지의 가액을 산정하는 감정평가방법을 말합니다.

다. 수익방식

1) 수익방식

"수익방식"이란 수익환원법 및 수익분석법 등 수익성의 원리에 기초한 감정평가방식을 말합니다.

2) 수익환원법

"수익환원법"이란 대상물건이 장래 산출할 것으로 기대되는 순수익이나 미래의 현금흐름을 환원하거나 할인하여 대상물건의 가액을 산정하는 감정평가방법을 말하며, "수익가액"이란 수익환원법에 따라 산정된 가액을 말합니다.

3) 수익분석법

"수익분석법"은 일반기업 경영에 의하여 산출된 총수익을 분석하여 대상물건이 일정한 기간에 산출할 것으로 기대되는 순수익에 대상물건을 계속하여 임대하는 데 필요한 경비를 더하여 대상물건의 임대료를 산정하는 감정평가방법을 말하며, "수익임대료"란 수익분석법에 따라 산정된 임대료를 말합니다.

5. 감정평가방법의 적용

본건은 집합건축물대장 및 등기사항전부증명서상 구분등기로 되어 있고 실제구조가 독립되어 있는바, 「집합건물 소유 및 관리에 관한 법률」에 의거 각각 소유권의 목적으로 할 수 있는 구분소유 물건입니다. 따라서, 본건에 대한 가격결정은 「감정평가에 관한 규칙」 제16조에 따라 대상이 되는 건물부분과 그 대지사용권을 일체로 하여 거래사례비교법으로 평가하였습니다.

다만, 본건은 주된 용도가 주거용 부동산(다세대주택)으로서, 「감정평가에 관한 규칙」 제12조에 의거, 거래사례비교법 이외에 타 방식으로 산출한 시산가액과의 합리성을 검토하여야 하나, 대상부동산의 비용성에 기초하여 평가하는 원가방식과 대상부동산이 창출하는 수익성을 기준으로 평가하는 수익방식은 그 적용이 적합하지 않아 본건 평가 시 배제하였습니다.

6. 기준시점의 결정 및 그 이유

기준시점은 「감정평가에 관한 규칙」 제9조 제2항에 의하여 가격조사를 완료한 일자인 202□년 10월 24일입니다.

7. 실지조사 실시기간 및 내용

가. 실지조사 실시기간

본건의 실지조사 실시기간은 202□년 10월 23일~202□년 10월 24일입니다.

나. 실지조사 내용

본건의 실지조사 내용은 후첨 "호별배치도 및 건물이용상태" 및 "토지감정평가요항표", "건물감정평가요항표" 등을 참고 바랍니다.

8. 기타사항

가. 본건의 위치확인은 일반건축물대장상 건축물 현황도 및 실질 점유부분으로 확인하였습니다.
나. 본건은 집합건축물대장 및 등기사항전부증명서상 구분등기되어 있고, 실제 구조가 독립되어 있는바, 「집합 건물의 소유 및 관리에 관한 법률」에 의거 소유권을 목적으로 할 수 있는 구분 상가입니다.

다. 본건은 공부와 현황이 일치하며 물적 동일성이 인정됩니다.

라. 전입세대열람내역(행정기관 : ○○동주민센터, 열람일자 : 202□.10.24.)

- 해당 주소의 세대주가 존재하지 않는 것으로 확인되었습니다.

I. 거래사례비교법에 의한 비준가액

1. 거래사례비교법

「감정평가에 관한 규칙」 제16조에 근거하여, 대상물건과 가치형성요인이 같거나 비슷한 물건의 거래사례와 비교하여 대상물건의 현황에 맞게 사정보정, 시점수정, 가치형성요인 비교 등의 과정을 거쳐 토지의 소유권(대지권) 및 건물을 일체로 평가하는 방법입니다.

2. 대상물건의 개요[6)]

소재지	□□시 ○○구 ○○동 5**-**		
건물명	□□□□□		
용도	제2종근린생활시설, 다세대주택	사용승인일	202□.09.25.
동수	1동	세대수(호수)	3호 / 8세대

구분		전유면적 (m^2)	공용면적 (m^2)	분양면적 (m^2)	대지권면적 (m^2)	전용률 (%)
기호	층, 호수					
가	제지1층 제B101호	168.66	36.65	205.31	81.31	82.15%
나	제1층 제101호	30.54	6.64	37.18	14.73	82.14%
다	제2층 제201호	118.10	25.66	143.76	56.93	82.15%
라	제3층 제301호	29.88	6.49	36.37	14.40	82.16%
마	제3층 제302호	29.70	6.45	36.15	14.32	82.16%
바	제3층 제303호	29.71	6.46	36.17	14.32	82.14%
사	제4층 제401호	29.88	6.49	36.37	14.40	82.16%

6) 등기사항전부증명서 및 건축물대장 등을 참고하여 기재하였으며, 자세한 사항은 후첨 "토지감정평가요항표 및 건물감정평가요항표" 등을 참조 바랍니다.

아	제4층 제402호	29.70	6.45	36.15	14.32	82.16%
자	제4층 제403호	29.71	6.46	36.17	14.32	82.14%
차	제5층 제501호	74.12	16.11	90.23	35.73	82.15%
카	제6층 제601호	74.91	16.28	91.19	36.12	82.15%
계		644.91	140.14	785.05	310.9	-

3. 거래사례의 선정

가. 인근지역 유사 부동산의 거래사례

기호	소재지	명칭 및 층/호	전유면적 (m^2)	거래금액 (원)	단가 (원/전유 m^2)	거래일자	사용승인일	비고
1	□□동 89-1	□□프라자 지 1층 비107-1호	133.05	325,000,000	2,440,000	2□.03.17.	1□.02.05.	근린생활 시설
2	□□동 683-14	□□휴니스빌 지 1층 102호	24.1217	179,200,000	7,420,000	2□.01.27.	2□.09.24.	근린생활 시설
3	□□동 383-12	□□오피스텔 1층 101호	27.47	288,000,000	10,400,000	2□.07.09.	2□.11.26.	근린생활 시설
4	□□동 383-12	□□오피스텔 1층 104호	42.61	440,000,000	10,300,000	2□.01.13.	2□.11.26.	근린생활 시설
5	□□동 421-19	○○프라자 2층 201호 외	135	500,000,000	3,700,000	2□.06.21.	1□.09.21.	근린생활 시설
6	□□동 670-11	○○폴리스 2층 205호	29.25	107,000,000	3,650,000	2□.09.02.	1□.10.07.	근린생활 시설
7	□□동 366-12	○○빌 2동 5층 501호	48.68	268,000,000	5,500,000	2□.05.22.	2□.12.20.	다세대
8	□□동 557-7	○○하우스 5층 501호	39.235	245,000,000	6,240,000	2□.07.05.	2□.02.29.	다세대
9	□□동 557-26	○○파크빌 5층 502호	37.2	225,000,000	6,040,000	2□.02.11.	2□.12.24.	다세대
10	□□동 566-19	○○○○하우스 비동 6층 602호	46.23	253,000,000	5,470,000	2□.02.25.	2□.05.13.	다세대

(출처 : 등기사항전부증명서 및 감정평가정보체계, 단가 : 유효숫자 넷째 자리에서 절사)

나. 거래사례의 선정

거래사례의 선정에 관한 결정의견
상기 거래사례 중 위치적, 물적 유사성이 있고 사정보정, 지역요인 및 개별요인 등 가격형성요인에서 가장 비교가능성이 높은 〈거래사례 4, 7〉을 각각 선정하였습니다.

4. 사정보정

사정보정에 관한 결정의견	보정치
거래사례의 거래가격과 최근 시세수준을 감안할 때, 거래당사자 간의 특수한 사정이나 개별적인 동기가 없는 것으로 판단됩니다.	1.00

5. 시점수정

가. 개요

한국은행이 발표하는 주요지역별 유형별 매매종합가격지수 중 본건과 물적 특성 및 지리적 비교가능성이 있다고 판단되는 "상업용 부동산 자본수익률(서울특별시)" 및 한국감정원 매매가격지수(서울특별시 강북지역 동북권, 연립주택)를 활용하여 각각 산정하였습니다.

나. 상업용 부동산 자본수익률(기호 가~다)

2□년 3분기	2□년 4분기	2□년 1분기	2□년 2분기
0.37	0.24	0.32	0.36

다. 시점수정치 산출[7](기호 가~다)

시점수정치 계산식	시점수정치
$(1 + 0.0032 \times 78/90) \times (1 + 0.0036) \times (1 + 0.0036 \times 176/91) \fallingdotseq 1.01339$	1.01339

라. 주거용 부동산 시점수정(기호 라~카)

시점수정치	본건	102.5	202□.09.
	사례	102.2	202□.05.
	시점수정치	1.00294	= 102.5/102.2

7) 기준시점 현재 202□년 3분기지수는 미발표로 202□년 2분기 지수를 적용하였습니다.

6. 가치형성요인 비교

가. 비교항목(기호 가~다)

요인	조건	항목
외부요인	가로조건	가로의 폭, 구조 등의 상태 등
	접근조건	상업지역 중심 및 교통시설과의 편의성 등
	환경조건	고객의 유동성과의 적합성, 인근환경, 자연환경 등
	행정적 조건	행정상의 규제 정도 등
	기타조건	장래의 동향, 기타
건물요인	시공상태	건물의 골조, 마감상태 및 안정성 등
	설계, 설비	설계상의 양부, 각종 설비의 유무・종류・수준 등
	공용시설	주차시설, 현관시설 등
	기타	기둥 등에 의한 이용상의 저해 정도 등
개별요인	층별・위치별・향별 효용	일조, 채광의 정도
		조망, 개방감, 압박감 등, 소음의 영향
		엘리베이터, 계단을 이용한 접근성
		Privacy 침해 및 외부인 침입가능성
	기타	주차장 등에 대한 전용 사용권
		대지권의 종류 및 크기
		배관, 내부, 마감재, 수선・유지상태 등

나. 비교항목(기호 라~카)

요인	조건	항목
외부요인	가로조건	가로의 폭, 구조 등의 상태 등
	접근조건	도심, 공공시설 및 교통시설과의 접근성 등
	환경조건	인근환경, 조망・풍치・경관 등 자연환경 등
	행정적 조건	행정상의 규제 정도 등
	기타조건	장래의 동향, 기타
건물요인	시공상태	건물의 골조, 마감상태 및 안정성 등
	설계,설비	설계상의 양부, 각종 설비의 유무・종류・수준 등
	공용시설	주차시설, 현관시설 등
	기타	기둥 등에 의한 이용상의 저해 정도 등
개별요인	층별・위치별・향별 효용	일조, 채광의 정도
		조망, 개방감, 압박감 등, 소음의 영향
		엘리베이터, 계단을 이용한 접근성
		Privacy 침해 및 외부인 침입가능성
	기타	주차장 등에 대한 전용 사용권
		대지권의 종류 및 크기
		배관, 내부, 마감재, 수선・유지상태 등

다. 가치형성요인 비교치 결정

기호	외부요인	건물요인	개별요인	비교치
가	0.70	1.05	0.30	0.221
나	0.70	1.05	0.95	0.698
다	0.70	1.05	0.40	0.294
라~자	1.05	1.00	1.00	1.050
차,카	1.05	1.00	0.80	0.840

(비교치 : 소수점 넷째 자리 반올림)

7. 비준가액의 산정

기호	사례단가 (원/m^2)	사정보정	시점수정	가치형성 요인비교	산출단가 (m^2)	전유면적 (m^2)	비준가액 (원)
가	10,300,000	1.00	1.01339	0.221	2,310,000	168.66	389,000,000
나	10,300,000	1.00	1.01339	0.698	7,290,000	30.54	222,000,000
다	10,300,000	1.00	1.01339	0.294	3,070,000	118.10	362,000,000
라	5,500,000	1.00	1.00294	1.050	5,790,000	29.88	173,000,000
마	5,500,000	1.00	1.00294	1.050	5,790,000	29.70	171,000,000
바	5,500,000	1.00	1.00294	1.050	5,790,000	29.71	172,000,000
사	5,500,000	1.00	1.00294	1.050	5,790,000	29.88	173,000,000
아	5,500,000	1.00	1.00294	1.050	5,790,000	29.70	171,000,000
자	5,500,000	1.00	1.00294	1.050	5,790,000	29.71	172,000,000
차	5,500,000	1.00	1.00294	0.840	4,630,000	74.12	343,000,000
카	5,500,000	1.00	1.00294	0.840	4,630,000	74.91	346,000,000
계						644.91	2,694,000,000

(비준가액 : 십만원 단위에서 절사)

8. 가격참고자료

가. 인근지역 유사 부동산의 평가선례

기호	소재지	명칭 및 층, 호수	전유면적 (m^2)	평가총액 (원)	단가 (원/전유m^2)	사례 기준시점	사용 승인일	평가 목적	비고
1	□□동 89-1	ㅇㅇ프라자 지층 비107호	243.81	438,000,000	1,790,000	2□.04.06.	1□.02.05.	담보	근린생활시설
2	□□동 383-12	ㅇㅇ오피스텔 지층 비01호	211.01	470,000,000	2,220,000	2□.10.27.	2□.11.26.	담보	근린생활시설
3	□□동 421-19	ㅇㅇ프라자 1층 104호	45.00	500,000,000	11,100,000	2□.07.20.	1□.09.21.	담보	근린생활시설
4	□□동 208-18	1층 7호	38.51	328,000,000	8,510,000	2□.12.01.	1□.12.17.	담보	근린생활시설
5	□□동 421-19	□□프라자 2층 207호	186.19	477,000,000	2,560,000	2□.05.04.	1□.09.21.	담보	근린생활시설
6	□□동 566-19	ㅇㅇ하우스 A동 3층 302호	53.78	265,000,000	4,920,000	2□.06.30.	2□.05.13.	담보	다세대
7	□□동 557-7	□□하우스 3층 302호	45.33	247,000,000	5,440,000	2□.06.29.	2□.02.29.	담보	다세대
8	□□동 408-117	4층 401호	73.293	344,000,000	4,690,000	2□.08.03.	2□.02.11.	담보	다세대

(출처 : 감정평가협회 감정평가정보체계 : 유효숫자 넷째 자리에서 절사)

나. 인근지역 가격수준

용도	층	가격수준(원/전유m^2)	비고
근린생활시설	1층	7,500,000 내외	세로 변
근린생활시설	2층	3,000,000 내외	세로 변
근린생활시설	지층	2,400,000 내외	세로 변
다세대주택	기준층	5,500,000~6,000,000 수준	본건 기호차, 카는 면적비교에서 열세

다. 낙찰가율 통계분석 [□□시 □□구]

구분	기간	진행건수	매각률(%)	매각가율(%)
상가	최근 1년	44	40.91	94.72
주상복합(상가)		0	–	–
다세대		103	35.92	81.09

(출처 : 지지옥션)

II. 감정평가액의 결정

거래사례비교법에 의한 비준가액을 기준하되, 유사 부동산의 거래사례, 평가전례 등 인근지역 가격수준, 경매통계 등 시장상황, 평가목적 등을 종합 고려하여 아래와 같이 감정평가액을 결정하였습니다.

기호	층/호	전유면적 (m^2)	공용면적 (m^2)	분양면적 (m^2)	단가 (원/전유 m^2)	비준가액 (원)
가	제지1층 제B101호	168.66	36.65	205.31	2,000,000	337,000,000
나	제1층 제101호	30.54	6.64	37.18	6,500,000	198,000,000
다	제2층 제201호	118.10	25.66	143.76	2,700,000	318,000,000
라	제3층 제301호	29.88	6.49	36.37	5,600,000	167,000,000
마	제3층 제302호	29.70	6.45	36.15	5,600,000	166,000,000
바	제3층 제303호	29.71	6.46	36.17	5,600,000	166,000,000
사	제4층 제401호	29.88	6.49	36.37	5,600,000	167,000,000
아	제4층 제402호	29.70	6.45	36.15	5,600,000	166,000,000
자	제4층 제403호	29.71	6.46	36.17	5,600,000	166,000,000
차	제5층 제501호	74.12	16.11	90.23	4,550,000	337,000,000
카	제6층 제601호	74.91	16.28	91.19	4,550,000	340,000,000
합계						2,528,000,000

(감정평가액 : 유효숫자 넷째 자리에서 절사)

박문각 감정평가사

유도은
S+ 감정평가실무연습

2차 | 기본문제 2권 예시답안편

제8판 인쇄 2024. 4. 25. | **제8판 발행** 2024. 4. 30. | **편저자** 유도은
발행인 박 용 | **발행처** (주)박문각출판 | **등록** 2015년 4월 29일 제2015-000104호
주소 06654 서울시 서초구 효령로 283 서경 B/D 4층 | **팩스** (02)584-2927
전화 교재 문의 (02)6466-7202

저자와의 협의하에 인지생략

정가 30,000원
ISBN 979-11-6987-862-3(2권)
979-11-6987-860-9(세트)

MEMO